ちくま新書

# 世界がわかる比較思想史入門

中村隆文
Nakamura Takafumi

1544

# 世界がわかる比較思想史入門【目次】

はじめに　009
異なる文化との出会い／文化の背後にある思想／思想を比較する意義／自分自身を理解する

第1章　ギリシア・ローマ文化――神話と哲学と法　019

1　ギリシアの神々　022
ギリシア神話の世界／主神ゼウス

2　ギリシア神話の世界観　025
擬神化の意義／運命論と個々人の生き方

3　理性主義――ロゴスとヌースを重視する生き方　029
普遍性の探究／ソクラテス、プラトン、アリストテレス／アリストテレスの実践理性／ストア派とエピクロス派

4　ローマ文化――「契約」「賠償」の考え方　036
ギリシア文化の影響／万民法から自然法へ／賠償モデルの起源／天秤のつり合い

## 第2章 ユダヤ教・キリスト教・イスラーム——同じ神を崇める啓示宗教 045


1 ユダヤ教——神との契約 047

聖典とは何か?/選民思想と律法主義/約束の地とイスラエル

2 ユダヤの試練の歴史 053

国をもたない流浪の民/イスラエルの建国/宗教的違いだけが対立の理由ではない

3 キリスト教——無償の愛と広い救済 058

イエスの奇跡/無償の愛と磔刑/全人類の救済

4 キリスト教の拡大と多様化 063

教会の東西分裂/プロテスタンティズムの誕生/職業召命観と近代資本主義/英国国教会の独立

5 イスラーム——制約と結束の宗教 069

誤解されやすい宗教/イスラームとは何か?/スンナ派とシーア派/食事規定の共通点/アッラーの思し召し/姦通罪とイスラーム法/男女の非対称性/文化か自由か

第3章 インド思想――業と輪廻 095

1 バラモン教 096
インド的価値観の起源／業と輪廻

2 ジャイナ教――修行の思想 102
修行とは何か／身体的誘惑を断ち切る

3 仏教――苦行の否定と認識の転換 106
苦行では解脱できない／中道の思想

4 ヒンドゥー教 110
インドに根付いた世界観／ヒンドゥー教とカースト制／身分制はインド特有の文化か？

第4章 中国思想――「天」と「道」の思想 119

1 多種多様で豊かな思想文化 120
中国思想の特徴／諸子百家の登場

2 儒教（儒家思想） 123
孔子の思想／恩と忠義／孟子の思想／荀子の思想

3　老荘思想　129
老子の思想／荘子の思想
4　その後の中国思想　134
中国三大宗教の確立／朱子学の誕生／陽明学と知行合一／仏教の定着／温故知新

第5章　日本思想——多面的な日本的価値観　143

1　神道と自然崇拝　145
「日本の歴史」としての神道／自然崇拝／神道の考え方
2　日本の仏教　152
仏教の伝来／密教の流行／鎌倉新仏教の登場／念仏の民間浸透／室町以降の展開
3　儒学　159
儒学の官学化／安天下の道／石田梅岩の「商人の道」／正直と倹約
4　国学——日本独自の精神性？　166
国学の誕生／そこにある美しさ

第6章 近代の哲学思想――理性の時代 177
1 カントの道徳哲学 180
理性による論証／カントの義務論――定言命法と仮言命法
2 功利主義思想 184
ベンサムの功利主義／理性による社会改革
3 世界の理性的発展 189
ルソーの一般意志／ヘーゲルと進歩的歴史観
第7章 現代思想――啓蒙の先にある多様性 197
1 ポストモダン――近代理性主義への批判 199
構造主義による理性批判／ニーチェの道徳批判
2 実存主義 204
実存は本質に先立つ／構造主義 対 実存主義
3 ポスト構造主義と脱構築 208

ドゥルーズの思想／デリダの音声中心主義批判／ポストモダンは何でもあり？

4　理性主義の復権と現代正義論　214

「理性」の再検討／ロールズの『正義論』／共同体主義からの批判

おわりに　220

1　思想の比較から何が見えるか？　220

思想を学ぶ意義／思想の可能性と可変性

2　制約としての思想　222

思想における規範性／奇跡的な共有

3　「自分の思想」をもつということ　227

埋没のなかからの目覚め／不安という契機／残り時間を意識する

4　生き方としての「行」　232

生活のなかでの「行」／間柄で生き、そして自分らしく生きる

あとがき　237

# はじめに

## †異なる文化との出会い

「お天道さまがみている」「いずれ罰（ばち）があたるよ」「そりゃ自業自得だ」「先輩らしく振る舞わないと」「風情があるね」「もっと理性的になろうよ」「損得のバランスを考えよう」といったセリフをどこかで聞いたことがないだろうか。これらはそれぞれ異なる文化・思想を反映したものであるが、同一人物でもシチュエーションに応じて、こうしたさまざまな表現を使いわける。

人間の思考・価値観・世界観というのは多面構造的であって、誰かを――それが他人であっても自分であっても――理解するにあたっては、その振る舞いや考え方を形作っている文化的・思想的背景をきちんと捉える必要がある。そして、それはより良いコミュニケーションの可能性でもある。たとえ互いに完全には同意し合えなくとも、相手の振る舞いにはなんらかの意味・理由があるということを理解することで、互いに互いの人格を等しいものとして尊重する道が拓けてゆく。

異文化コミュニケーションの重要性が唱えられてずいぶん久しいが、そもそもその前提としての異文化理解とはどのようなことなのか？　それは単に、自分とは異なる文化の「情報」を網羅的に知ることではないだろう。本やネットで調べれば、それぞれの国がどの点で違うのかなどはすぐに分かる。そうではなく、異文化理解とは、それぞれの文化の背後にある構造や歴史を踏まえつつ、自身のそれとはどのように同じでありどのように異なるのかを比較し、「何か」を掴むことにあるのではないだろうか。それは決して、単なる表向きの比較に終始するべきものではない。

たとえば、日本においては許されないとされる人物が、海外では「え？　そんなに怒られるようなもの？」とみなされるケースがあるだろう。こうしたことから、日本人はこまかいところにうるさく、集団的規律と正義を重んじる国民性と思われがちかもしれないが、しかし、だからといって諸外国にはモラルや正義がまったく存在しないわけではない。逆に、海外で許されないことが日本では「まあ、いいじゃないの」となあなあで済まされることもある。もちろん、だからといって日本にはモラルもへったくれもない、ということにはならない。

「許せない！」「これをなすべきだ！」「世界はこうあるべきだ！」といった正義感・義務

感、あるいは世界観というものは、およそどの文化にもあるもので、その違いは、同じ行為・事柄であっても、それぞれのフレームのもとでは異なる意義をもつという点に由来する。

とするならば、異文化を理解するということは、単に「日本では許される（許されない）が、他の文化圏では許されない（許される）」といった「情報」を得ることではなく、そうした意識や規範の差異がどのようにそう生じたのかといった「文化に関する分析的理解」であるべきであろう。それによってはじめて、我々は「他者がそれをなぜそのように考えるのか」という理由を知り、それに全面的に賛同しないまでも「ああ、そういうことか。なんとなく分かるよ」といった寛容的理解が可能となる。そして、そこから、いくぶんかの譲歩や、あるいは、異文化受容や異文化コミュニケーションの契機が生じることだろう。

分析的理解というとなんだか重苦しい響きがあるが、しかしそこまで難しく考える必要はない。それは、ある文化の歴史を「思想」という観点から捉えることで（いわゆる「思想史」のもと）、その文化特有の思考形態・価値認識をタイプ化してゆく作業であり、それは、高校生あたりで学ぶ歴史や倫理のおさらいのなかでもできることなのである（本書ではさらにそれを少しばかり掘り下げてあるが）。

## †文化の背後にある思想

　まずは基本的な言葉から確認しておこう。ここまで「異文化」という言葉を使ってきたが、そもそも「文化」とは何だろうか。一般に「文化（culture）」とは、人間の活動のもと社会的にできあがった、そこでの衣食住、技術、思想、政治、学問、科学などの在り方を規定する生活様式のことだとされる。その語源は、ラテン語の*cultura*（耕作）であるが、古代ローマの哲学者キケロが「魂の耕作としての哲学」などと表現しているように、[*1]「洗練された学識」「過去の野蛮な状態を乗り超えて成立した規範や考え方」というものが「文化」の意味となった。こうした耕作された魂の状態ともいえる教養は、ある社会のなかで誰かが誰かに伝えるという形式があって（長老→若者、教師→生徒、親世代→子世代）はじめて成立するものである。

　つまり、継続的な歴史をもった「教え」「考え方」こそが――単なる受容ではなく批判的継承や反発もあるにせよ――それぞれの文化の特徴を端的に示しているわけで、ゆえに、文化理解にあたっては思想的特徴と同時に、その思想の歴史も同様に踏まえておく必要がある。[*2]

　ある文化において人々に継続的に共有されている「思想」とは、世界観、社会観、人生観、あるいは物事の把握の仕方に関し、反省的思惟をもってできあがったものである。そこには宗教や哲学はもちろんのこと、それ以外の各種学説や科学理論、はたまた文学などにみられるところの、ある文化特有の「信念」「ポリシー」「価値」「物事の捉え方」などが含まれる。日本の風土においては、島国で暮らしていた日本人たちがあれこれやるなかで習慣が生じ、何が当たり前で何が間違っているか、そして「何をすべきか」といった規範的価値観がそこで醸成されるに至っているし、海外でも同様にその地域独自の思想が成立してきた。

ここで一つ言っておきたいのは、思想史(history of human thought, history of ideas)において、「宗教(religion)」と「哲学(philosophy)」とはある程度区別される、という点である。宗教とは、世俗から分離した超越的もしくは絶対的存在や法則(理)を措定し、それに関する単なる信念だけではなく信仰に基づいた在り方に関する教え、もしくはその在り方から派生した行事・学説・ライフスタイルなどを包摂した価値観・世界観のことである。他方、哲学はそうした宗教とは独立的に特定のトピックを取り扱う分析的思考法であり、それは対象となる物事について問いつつ、問いのなかからその理解の仕方がどのようになっているのかを論じたり、提示したりする営みもしくは思想分野である(「科学とは何ぞや」と問う科学哲学が宗教とは異なるということは、おそらく誰もが理解しやすいであろう)。

基本的には、哲学≠宗教であるが、「どう生きるべきか」という問題についてはある種の哲学と宗教的概念とが組み合わさることもある。ただし、結論として宗教を受容することはあっても、原理として宗教的教義をそのまま議論の前提とすることを哲学はしない(議論の前提として受け入れるべきかどうかを吟味することはある)。

## †思想を比較する意義

いずれにせよ、グローバル化した現代において、我々は異文化の人々と接する機会も増えている。それはつまり、自分とは異なる思想(宗教や哲学、あるいはその文化特有の価値観)をもった人たちと交流するということであるが、ときにどうしても理解しがたい相手の振る舞いに直面したり、逆に、自分にとっての当たり前がなかなか相手に理解してもらえなかったりもする。そんなとき、我々はなんとか相手を理解するためになんらかの枠組み(フレーム)を使ったりする。たとえば、「日本人は集団心理にながされやすい」とか「アメリカ人は冷淡な個人主義だ」とか「イギリス人は古いものを好む懐古主義だ」といったステレオタイプは、それっぽいことをする異文化の人をカテゴライズして説明するのにはとても便利である。しかし、それは便利さと同時に危うさも抱えている。

異なる文化をもつ人々の行動やその理由について、「こうに決まっている。彼らはそういう人間なんだから」という紋切り型の理解は、その人々の文化的多面性を見過ごすことにもなりかねない。キリスト教文化圏だからといってそれ以外の価値観をもっていないわけではないだろうし、日本人だからといって常に神道的な「穢れ」や「禊」の意識で生きているわけではなく、西洋的な人権思想や、ローマ法的な損害賠償の考えで動いたりもする。そう、我々人間の精神性、そして生活スタイルは多面的かつ複合的であるのだ。ゆえに、相互に有意義なコミュニケーションをしてゆくためには、単調・単純な認識フレームよりは、多種多様で柔軟性を備えたフレームをもって、「あの人はなぜそう考えるのか?」「あの人はなぜあんな言い方をするのか?」ということを丁寧に問いかけ、いろんな角度から理解しようとする方が望ましい。古今東西のさまざまな文化や思想を比較しながら学ぶ意義はここにある。

## †自分自身を理解する

しかし、より重要なのは、そうした学びやそこから得られる有用なフレームは、まずは自分自身を理解することに役に立つということである。「自分のことは自分が一番分かっている」と思っている人は多いが、自分が何気なく発する言葉、自分が考えるライフプラン、自分にとって許せることや許せないことなどは、普段意識されていない自身の多様な文化的バックグラウンドに基づいている（だからこそ、すぐさまそれを「日本人か、アメリカ人か」というような単純なナショナリティに還元しようとすることは早計であるのだが）。自分自身を含め、物事を理解し何かをしようとする際は、文化的バックグラウンドとその特性、長所をうまく捉えるための幅広い教養と、それをうまく使いこなす素養と訓練が必要となる。

つまり、ある人間をきちんと――それが自身であろうが他者であろうが――理解するためには、その全体像をクリアにしてゆくための多角的アプローチとそれを可能とする思想的パースペクティヴが求められる。そして、それらを学ぶなかで、自分自身を問い直し、自身のコアな在り方を発見し、自分の人生を自覚的に生きてゆこうとする契機も訪れるかもしれない。宗教や哲学といった「思想」について学ぶということは、それに囚われるためではなく、その構造と限界を知ること、そしてそれを踏まえた上で、自身が何をもって生きるべきかという問いとその答えの手がかりを可能な限り得ようとすることでもある。

とまあ、前置きが長くなったが、言いたいことは、自文化や異文化を知り、古今東西の思想などを学ぶことは、それまで見えていた「世界」や「他者」や「自己」の見え方が――解像度が上がるかのように――クリアとなり、そしてそれが豊かな色合いをもったものであることを知ることにも繋(つな)がる、ということである。「自分を変えるんだ！」とか「世界を変えなきゃ！」といった理想や使命感は素晴らしいかもしれないが、まずは、自分や世界について、そこにある色鮮やかさや豊かさをきちんと知っておくのもよいだろう。それでは、いよいよ思想の世界にダイブし、そのなかで各種思想の共通点と差異を意識しつつ、それが現代の価値観や考え方にどのようにつながっているのかをみてゆこう。

【注】

＊1 "*Cultura animi philosophia est*"（「魂の耕作は哲学のことである」）として、精神的成熟による人間性の洗練に言及している（『トゥスクルム荘対談集』2.13, キケロー著／木村健治・岩谷智訳［二〇〇二］『キケロー選集12 哲学V』岩波書店、所収）。

＊2 他方、「文明 civilization」の語源はラテン語の「都市 *civitas*」である。都市で一定の身分のもと（自由人として）暮らす人は「市民 *civis*」（英語でいうところの civil）と呼ばれ、それは、ローマ以外の無法な蛮族的状態 "*barbarus*"（英語でいうところの barbarous）の人々とは区別されていた。つまり、都市国家のもときちんとした法と政治が行われているところに「文明」があり、そうでないところは非文明という区別がここにはある。しかし、それは帝国主義的な、ひいては西ヨーロッパ中心主義的な文明観といえるかもしれない。

第1章

# ギリシア・ローマ文化——神話と哲学と法

さて、古今東西の思想をみてゆくにあたり、まずはヨーロッパからはじめてゆこう。おおざっぱにいってしまえば、ヨーロッパの歴史には三つの大きな文化的支柱をみることができる。それは「ギリシア思想」「ローマ文化」「キリスト教」である。それらの影響は今なおヨーロッパの生活・学問・政治・法律などにみてとれるだけでなく、遠く離れた国々のあちこちにもその痕跡を残している。

ギリシア思想がその後のヨーロッパに多大な影響を与えたものとして、一般的に「哲学」「文学」「芸術」といった教養分野があげられるであろう。ギリシアをロールモデルとして継承しつつも（いわゆるヘレニズム文化）、帝国の拡大のもとそれをさらに超えるべく工夫を凝らしたローマ文化は、建築などの実用的技法を発達させ、水道や橋などの都市建設の新たなお手本として後世に影響を与えた。また、その法学説は現代の法理論の基礎として今なお生き続けている。しかしこれらのギリシア・ローマ文化をそのバックグラウンドとしてきたヨーロッパ社会は、その後に続く、さらなる超国家的価値観を有する「キリスト教」の影響に覆われることになる。

唯一神を崇拝するキリスト教のもと、ヨーロッパ各国は他宗派や異教徒との戦い、商人

**西洋的価値観・世界観**

ギリシア文化

神話観・世界観に影響

ローマ文化

帝国内の人々の幅広い交流を可能に

キリスト教

【特徴】
・多神教
・自然崇拝的運命論
・民主主義的自治
・思想、芸術など教養の先駆的役割

【特徴】
・多神教
・帝国主義
・建築、法律など実践的技法の洗練
・商慣習の発達、後世の民法典への影響

【特徴】
・一神教
・多様な民族を包摂
・政治権力と教会権力との相利共生関係
・「清貧」「救済」「博愛」「義認」など新たな価値観の提供

たちの海洋進出や列強諸国の植民地政策を経ることで、自らのバックグラウンドたるその教えを世界各地に広げていった。しかしそこには、ギリシア思想やローマ的な価値観も含まれていたし、なにより、互いに異教徒として罵りあいながらも、同じルーツをもつ啓示宗教としていくつもの概念を共有するユダヤ教・イスラム教との関わり合いも見過ごすべきではないだろう。

本章ではまず、西洋思想のルーツをさぐるためにギリシア思想の二つの要素である「ギリシア宗教」と「ギリシア哲学」の世界観からみてゆこう。

# 1　ギリシアの神々

## †ギリシア神話の世界

　ギリシア思想はもともと多神教であり、そしてそれは当時の自然観・世界観を反映したものでもあった。ギリシアの神々のことを綴ったものでもっとも有名なものはヘシオドスの『神統記』であろうが、[*1]しかしほかにも、ギリシア神話を題材とした文学作品（ホメロスの『イーリアス』や『オデュッセイア』など）を通じて神々のことを知ることができる。そこでは、さまざまな神々がよく知られる自然や概念に割り当てられており、人間とともに生きる神々の様子を——言い方を変えるならば、それらとともに生きざるをえない人間の様子を——みることができる。

　ギリシア神話においては、すでに「在る神」が宇宙や自然を作ったわけではなく、自然的宇宙の混沌状態（**カオス**）から、それまでいなかった「化為る神」が次々と登場し、次第にその宇宙は秩序だってゆく（**コスモス**）。混沌よりはじめに生じた原初の神々はガイア（大地神）とタルタロス（地底神）とエロース（愛神）であり、のちに地底の暗闇を司るエレポスと不気味な夜の神ニュクスが生まれ、その二柱が結ばれて天上神アイテールと昼の神ヘーメラーが生まれたとされる。
　このように、天と地、昼と夜などが生じるといった天地創造の話は他宗教とも共通するが、しかしギリシア神話において特徴的な点は、秩序だった世界へと向かうにあたって、主神の座をめぐって闘争と権力奪取が繰り返されたという点である。つまり、そこには世界の成長・成熟という歴史観が示されているのである。[*2]
　ガイアは自らの息子であり夫でもあるウラノス（天神）との間に、ティターンと呼ばれる十二神、単眼のキュクロプスという三巨人、そして、百手のヘカトンケイルという三巨人をもうけるが、ウラノスは、ティターン以外の子どもを醜いからといって地底へ閉じ込めてしまう。ガイアはティターンの一人クロノス（大地神・農業神）に父を倒すよう指示し、クロノスはそれを成し遂げる（その際、ウラノスの性器が切断され、海に投げ捨てられたときのその泡から生まれたのが美の女神アフロディーテーといわれる）。そのとき、クロノスは父ウラノスに「お前もまた息子から王位を奪われるだろう」と告げられ、それは呪いの予言となってクロノスをのちのち苦しめることになる。

## †主神ゼウス

父を倒したクロノスは同じティターンのレイアを妻とするが、さきの父の予言から、生まれてくる子どもを次々と飲みこむようになった。レイアは母ガイアに相談した結果、あるとき生まれてきた子と偽って石をクロノスに飲みこませ、クロノスにばれないようクレタ島で男児を育てた。これがゼウス（天空神・雷神）である。

ゼウスはクロノスに薬を飲ませてそれまで飲みこんでいた兄姉たちを吐かせ、自分たちオリンポスの神々をまとめあげ、クロノスたちティターン神族との戦いを始めた（ティターノマキア）。ゼウスはかつて閉じ込められたキュクロプス（鍛冶神）とヘカトンケイルを頼ることにした。前者は雷をゼウスに、三叉の鉾（ほこ）をポセイドンに、姿が見えなくなる兜（かぶと）をハデスに渡し、後者は巨石をティターン族に投げつけるなどして戦いに加勢した結果、オリンポス側が勝利し、ゼウスは神々の主神となった。

ゼウスは勝利後にタルタロスへティターン族を幽閉したことで、その産みの親である（また自身の出生にも寄与した）ガイアの怒りを買うことになる（こうしてみると、ガイアという神はキングメーカーであると同時にトラブルメーカーでもあるようにみえる）。ガイアは、、、、、、神々の手では殺せないギガンテス（巨人族）を産み出してゼウスの支配を終わらせようとした（巨人族との戦いである「ギガントマキア」）。ゼウスはミュケナイの王女アルクメーネーとの間に子をもうけたが、*3 それこそがギガントマキアにおいて欠かせない戦力となる英雄ヘラクレスであった。彼の怪力や弓の腕によって、オリンポス側は勝利をあげた。ガイアはゼウスをきちんと懲らしめるべく、今度はタルタロスと交わることで最強の怪物テュポーンを産み出し一時は苦しめるものの、最終的にはゼウス側が勝利してその主神たる地位は確固たるものとなった。

## 2 ギリシア神話の世界観

### †擬神化の意義

ギリシア神話やそれを用いた文芸作品には当時のギリシア人の民族的ルーツを求める願望や、諸国家（ポリス）の政治的正統性を保証してくれる役割もあるが、同時に、当時のギリシア人たちにとってのモラルや禁忌もそこにみてとれる（「父親殺し」「王位簒奪」「近親相姦」など）。識字率が低い時代には、いろんな歴史や教訓などは神話や物語の形で説明される方が広まりやすいということもあったのだろう。*4

それに、さまざまな概念が神と結びつくことで（擬神化）、人々がその重要さをイメージしやすくなり、ゆえに社会ルールがそこで尊重されやすくなったとも考えられる。ウラノスとガイアの娘で「法」の女神テミス、そしてそのテミスとゼウスとの間に生まれた三姉妹ディケー、エウノミア、エイレネが「正義」「善き秩序」「平和」の三女神とされていることなどを鑑みれば、法や正義を守るということは、そうした神々をきちんと信奉することだという言い方もできる。

## †運命論と個々人の生き方

それともう一つの特徴は「運命」を受け入れる世界観・人生観である。大地や海の脅威、飢饉や疫病にさらされ続ける過酷な環境だとしても、それは人間では遠く及びえない神々の振る舞いゆえであって、受け入れるしかないことでもある。そこには当時のギリシア思想に特徴的な運命論がみてとれる。

ギリシアには運命の女神モイラ（複数形はモイライ）がいる。これはニュクスの娘、あるいはゼウスとテミスの娘たちとも言われている。このモイラは主神ではないのだが、主神ですらも従わざるを得ない運命をもって、世界のあちこちに、そしてそれぞれに割り当てを配分する。ゼウスやポセイドンやハデスたちでさえも「くじ引き」によって治めるべき世界を定められているわけで、一旦決まったならばその決定を覆して他者の所領を奪うことはできない。

我々人間もまた、運命によってその生の長さや在り方が割り当てられており、そのなかにおいてどう生きるべきかを悩み、あがき、苦しむ。もっとも、割り当てられた生に文句を言って拒絶しようとしてもどうにもならないわけで、それを行おうとしても無駄なあがきであることは数々のギリシア神話やギリシア悲劇が教訓めいた形で示唆している。

たとえば、ソポクレスの著作『オイディプス王』をみてみよう。テーバイ王ライオスは「男児をもうければその子に殺される」という神託をうけ、実の息子オイディプスが生まれてすぐにそれを殺すよう家臣に命じた。しかし、なんだかんだあってオイディプスは生き残り、そして当人たちが気付かないうちに神託どおりにライオスを殺害した。そして、オイディプスは空いた王座に就く形で国王となり、ライオスの妻（つまり自身の母）であるイオカステを妻として子をなしたが、国内には凶作と疫病が流行ってしまう。その原因と対策について神にお伺いをたてたところ、「先王ライオス殺害者を追放すべし」という神託をうけた。次第に事の真相を知ってしまったオイディプスは、自身の目をみずからつぶし、追放されて乞食となった。

これがギリシア悲劇の代表作『オイディプス王』のストーリーである。神託が示す運命は絶対であり、ライオスが男児オイディプスをもうけた時点で、オイディプスがどんなにあがこうがライオスを殺害し、その結果テーバイが凶作と疫病にみまわれることは決定していたともいえる。

これはまさに運命論ともいえるもので、どうなるかがあらかじめ決まっている世界である。しかし、その決まり方は決まってはいるが緩いもので、その定められた運命のなかでどう振る舞うかは個人の意思にかかっている。定められた運命のなか、魂が穏やかで理知的な在り方をするか、あるいは、あわてふためいて余計なことをするか、卓越した振る舞い方をみせるか、あるいは下劣な振る舞いをし続けるか、というのは人間の手に委ねられているのである。そしてその結果、神の気まぐれで助けられることもある（助けられないこともあるが）。

このように、運命の中での「徳」（卓越性）の在り方を模索し、割り当てられた運命であっても、きちんと振る舞うことによって、よい（eu）ダイモーン（神霊：daimōn）に守ってもらっているかのような「幸福」（エウダイモニア：eudaimonia）の可能性にすがることこそが人間に残された希望ということになる。

その可能性を追求したのがたとえば倫理学であり、そしてそこから「徳ある人」＝「幸福な人」という福徳一致の考え方が生まれた（ソクラテス→プラトン→アリストテレスの系譜）。これがギリシア思想の「哲学」というジャンルであって、それはギリシア神話の宇宙観・世界観をいくぶんか引き継ぎつつも、しかし、そこからいかに人間の理性に頼りつつその生というものを豊かにできるかを考え、その可能性を追求したものなのである。

## 3 理性主義――ロゴスとヌースを重視する生き方

### †普遍性の探究

有限な能力しかもたない人間にはどうしようもないことで溢（あふ）れかえったこの世界であっても、より深くこの世界について知ることはできるし、そのうえでよりよく生きることも可能である。この点から、人間に特有の「ロゴス」（logos：英語 logic の語源）をもって世界を理解しようとする古代ギリシア哲学が生まれた。ロゴスとは、論理や言語、あるいは論理的把握能力やそれによって理解されるもののことであり、これは一般に、「ミュトス」（mythos：英語 myth の語源で、神話や物語の意）とは異なるものとされる。

こうしたロゴスを用いて世界を理解しようとすることは、それは世界の「理」（ことわり、法則）を知るための「ヌース」（nous：本質を知るための知性・理性）を重視するスタンスともいえる。[*5]

ギリシア思想の神話的世界観からいくぶんか脱却し、ロゴスをもって世界を把握し、一般化した知識をもたらそうとしたことで知られるのは、タレス（前六二四―前五四六頃）を中心とするミレトス学派の自然哲学者であろう。万物の根源を問い直すその姿勢は、答えそのものを重視する科学者にとって不可欠であるが、同時に、「問い」を重視する哲学にとっても不可欠なものだといえる。ピュタゴラスやデモクリトスといった古代ギリシア哲学者たちは、現代の我々にとっても重要な概念や原理を提示している。それはつまり、ロゴスをもって示された「知」は、過去であろうが未来であろうが共有しうるということを意味する。人間は有限ではあるが、「知」や「真理」はその有限性を乗り越え、どんな時代であろうがどんな場所であろうが共有されうる「**普遍的なもの**」であって、ゆえに「理性」というものは人間にとって非常に重要なものなのである。

### †ソクラテス、プラトン、アリストテレス

古代ギリシアにおける重要な二項対立概念として「**ピュシス**（**自然**）／**ノモス**（**人為**）」というものがある。宇宙などはピュシスの側に該当するもので、ゆえに、ピュシスにおける「理」を解明することこそが知であり学問であると考えられた。タレスなどが自然哲学

ラファエロ「アテナイの学堂」(部分)

の祖と呼ばれるのも、そうした理由からである。

そしてその後、知の探究や理性の必要性は、すなわち倫理学においても提唱されてゆく。「無知の知」で有名なソクラテスはそのあまりの探究心と行動力ゆえにソフィストや政治家たちの不興を買って死刑を宣告されたが[*6]、その姿勢は弟子であるプラトンにも継承され、そして、その弟子のアリストテレス、さらにその影響を受けたヘレニズム思想にも受け継がれた。

プラトンは、感覚によって知られる諸現象で溢れかえったこの世界ではなく、それら諸現象を存在として成り立たせている本質を内在するイデア(真実在)を知ることこそが重要だと考え、そうしたイデアを直観的に理解する知性としてヌースを位置づけた。しかし、感覚・感性と区別されたヌースであっても、ロゴスぬきでは普遍的に理解・共有可能な「知」とはいえない。ゆえに彼はソクラテスが行っていたように言葉と討論（問答法）をもって「美」や「善」（徳や正義）をクリアにしてゆくことをその著作『饗宴』や『プロタゴラス』や『国家』で推奨しており、そうしたプロセスを経て、もはや否定しがたいものとしての真理である「イデア」を発見できるとしている。[*7]

その弟子であるアリストテレスはプラトンの教えを批判的に継承しており、イデアは批判されてはいるが、ヌースは物事の原理を捉える知的直観能力（あるいは直観によって得られた知）として必要とされている。ただし、アリストテレスは、「学問的知（客観知）」（エピステーメー）、「技術知」（テクネー）、「実践知（思慮）」（フロネーシス）、「知恵（叡智）」（ソフィア）というように、「知」を細かく分類している。ヌース同様、これらさまざまな知もやはり重要であり、ヌースにのみ権威があるわけではない。[*8]

アリストテレスはプラトンほど強い合理主義をとってはいないが、人が生まれ持った知性・理性と、教育や経験をもって、客観的な知識を共有し、各人がそれぞれ幸福に、そして「徳ある生き方」＝「よい生き方」ができると信じていた（ただし、個々人は資質も違えば目的や育った環境も異なるので、それぞれ目指すべき徳も異なることもあるのだが）。

## †アリストテレスの実践理性

こうした現実主義的かつ実践主義的なアリストテレスの思想で注目すべきは「中庸（メソテース）」であろう。それは、自身が置かれた状況を知り、なにをなすべきかを理解し、なすべきことをなすことによって示される徳（卓越性）の在り方で、フロネーシスを必要とする。

たとえば「勇気」という徳について考えてみよう。敵が迫ってきたのに怖くて逃げ回るような臆病者にはもちろん勇気はないわけで、大事な家族や祖国を守るには、立ち向かうべきときに立ち向かわねばならない。しかし、とにかくがむしゃらに無謀に敵に突っ込んでいくのは蛮勇であって、それも本当の勇気とはいえない。それでは守るべきものをきちんと守るような戦いとは呼べないからである。すると、そこで必要とされる勇気には、自身の戦力を踏まえ、敵の戦力を冷静に分析し、とりうる選択肢をできる限り把握し、そのなかでベストの選択をとれるような思慮深さ（フロネーシス）がなければならない。学問的知識（エピステーメー）や、根拠と論証をうまく結びつけるような知恵（ソフィア）も必要だろうが、しかし、それらの知は、きちんと学び、いろいろ経験し、その経験をきちんと実践における「徳」として活かすことではじめて有意義なものとなる。ゆえに、中庸の徳は、それを支える学識や知恵とともに、「実践知」（フロネーシス）と呼ばれるのである。

アリストテレスは、ソクラテス―プラトンの理性主義の系譜に連なるが、実践を意識しつつさまざまな事情に対応する形で「知」を多角的に分析している点では、彼ら以上に現実的問題を意識していた哲学者といえるだろう。

しかし、アリストテレスにおいてはその現実主義よりも「理性」「論理」によって善を達成するという方法論そのものが後にクローズアップされるようになり（その分類法や論理学的思考法など）、古代ギリシア思想からローマ、そして中世のスコラ哲学にまで影響を与えることになる。

## †ストア派とエピクロス派

彼ら理性主義者たちの主張は、ギリシアの各ポリスの衰退からローマが覇権を握るまでのヘレニズム期において、ゼノンを祖とする**ストア派**に引き継がれた。

ストア派の特徴としては、①情欲を乗り越えた理性主義、②禁欲的な不動心（**アパテイア**）の推奨、③世界市民主義（コスモポリタニズム）などが挙げられる。*9

なお、対比的に論じられがちなエピクロス派には、①感覚主義、②精神的快楽重視の平静心（**アタラクシア**）、③隠遁的共同体主義、というような特徴がある。だが、彼らが理性を重視していなかったわけではない。エピクロス派は、人間に関する自然というものをきちんと理解したうえで、自然な欲求とそうでない歪なものとを区別し、前者に従って生きることに理があると考えていたのであり、それもまた一つの実践的な理性主義者であるようにみえる。その発想は、自然的な「道」（タオ）に生きることを提唱した中国の老荘思想にも共通するものがある（これについては後述）。

しかし、「理性」が普遍的な真理を共有するために不可欠なものだと考えられている限り、数多くの価値観の衝突や戦争を克服する鍵としてそれにすがろうとするストア派の言い分は分からなくもないし（だからこそ今でもコスモポリタニズムに惹かれる人は多い）、実際、ヘレニズム期を超えてローマ時代にまでその勢力を保っていたのはストア派の方であった。もちろん、ローマにおいても、その広大な帝国の正統性を保証してくれるような普遍主義的理性主義を必要としていたという事情もあったのだろうが。

## 4 ローマ文化――「契約」「賠償」の考え方

### †ギリシア文化の影響

ギリシアより後発したローマ文化*10は、ギリシア文化に基づきつつも、それをローマ風に変化させていった。たとえば、ローマの多神教はギリシア神話に基づくものであったが、「ゼウス→ユピテル」「アフロディーテー→ウェヌス（ヴィーナス）」「アテナ→ミネルヴァ」「アルテミス→ディアナ」「エロース→クピド（キューピッド）」というように、名前をローマ風に変え、ローマ風の神殿を建設し、独自のローマ人の物語を重ねるなどして、ギリシア文化を自らの文化体系のなかに組み込んでいった。

ローマの国民的詩人ウェルギリウスによる、ローマ人の先祖にあたるアイネイアースについての英雄叙事詩『アエネイス』では、ユピテルやウェヌスが彼をサポートし、それがローマ建国につながっていたことが示唆されている。

### †万民法から自然法へ

ギリシア由来の理性主義もまた、ローマ帝国の実情にマッチするように、その法制度と支える理論・原理として採用されていった。共和制後期の哲学者キケロ（前一〇六―前四三）はストア派的観点から自然的理性の重要性を説くが、そこでの理性は普遍的な法概念と強く結びつく。

彼が『法律について』で主張するには、この宇宙は一つの国家であり、自然が人にあまねくあたえた自然的理性を共有する人々は、天の秩序、神聖な意志、強大な神に服従する（こうした発想は中国の儒教の「天」の思想とも類似している）。そして、自然的理性によって保障されるところの法は、あらゆる場所・あらゆる時代でも通用するような正義を示す普遍的法と位置づけられる。

こうした発想へと至った背景には、当時領土を拡張し、支配地域の外国人をもその領土内に取り込んでいたローマ帝国においては、ローマ市民のみを対象とした市民法（*ius civile*）のみでは対応困難となっていたこともある。それゆえ、諸国民に共通する法体系としての「万民法（*ius gentium*）」がつくりだされることとなるのだが、これはローマ特有の伝統的な法慣習でなく、公平な正義の観点からトラブルを解決するという点で自然的理性を反映するものとみなされ、次第に現実の政治社会や時代を超越するような自然法思想へと変化してゆく。

この自然法思想は、中世にはキリスト教的世界観にも組み込まれることになるのだが（「神の法」の一部分として）、このように、領土を拡張し続けていたローマ帝国であったからこそ、それ以前のギリシア・ヘレニズム思想と、それ以後のキリスト教文化との中継ぎ役的発想が生じたといえよう。*11

## †賠償モデルの起源

天秤をもった正義の女神をみたことはあるだろうか？　それはローマの女神ユースティティア（*Iūstitia*→*Jūstitia*）という神であるが、これは正義（justice）の語源"*Ius*"（正当な割り当てをする法）を擬神化したものといえる（ただしギリシア神話の女神テミスという解釈もある）。いずれにせよ、古代ローマとその影響を受けた西洋思想において、それぞれの持ち分をそれぞれにふさわしい形できちんと保証し、物事のバランスを保つべきという世界観は一般的なものであろう（いわゆる「天秤モデル」）。そして、ローマ法は民法典の基礎ともいえるべきものであって、契約の義務や不法行為、そして損害が生じた場合にはきちんと埋め合わせをするための賠償を規定するような「契約モデル」を人々の意識に育んでいった。

ただし、だからといって西洋的な価値観としての「天秤モデル」「契約モデル」「賠償モデル」がローマ法のみに由来しているかといえばそうともいえないところがある。損益相殺概念がローマ法の核に含まれていたかどうかについては法学者の間でも論争があるし[12]、ローマ法と対比されがちな慣習法的なゲルマン法であっても、罪状と釣り合った金銭賠償をもって刑が軽減・免除されることがあった。[13] 六世紀初頭のフランク王国[14]で書かれたとされるサリカ法典では、「自由人（成人男性）を殺害すれば、贖罪（しょくざい）金を支払わなければならない」と記されている。

正義の女神（ドイツ・ハンブルク）

これは、近代国家的な「殺人に対する一律的な刑罰」ではなく、生じた個々の損害を埋め合わせるような民事的賠償といった意味合いをもつ。そして、贖罪金を踏み倒そうとする加害者には遺族やその仲間による自力救済（フェーデ）がなされるが（宣戦布告や決闘など）、きちんと支払いさえすればそこからは報復はなされず、それで終わりであった。だからこそ、「え、人は殺したけど、ちゃんとお金払って埋め合わせたんだから、もういいじゃないか」という考え方が当たり前となる。

中世ヨーロッパの国王権力はそうした金銭賠償システムを支える一種の保険会社的役割を負っており、誰かが誰かに被害を与えた場合に「それは罪だから処罰する」というのではなく、まず、損害を埋め合わせるお金を被害者に支払い、そして、その額を加害者から強制的に徴収することで正義を保とうとしていたこともあった（加害者はそのお金を支払えばそれ以上罪に問われることもない）[*15]。

## †天秤のつり合い

いずれにせよ、欧米社会が「契約社会」「個人主義社会」であるその根幹には、そこでの正義が、損失と補償とのバランス、つまり天秤のつり合いをもって個々の自由人の共存を可能としていることがあるようにもみえる。もちろん、歴史的にはローマ帝国末期からキリスト教が広がることで、「懺悔（ざんげ）し、悔い改める心」という価値観が重視されるようになったのだろうが、世俗的にはそうした契約‐天秤モデルは保持されていた。だからこそ、人間と神との契約のもと、義務をきちんと守ることで救済されるというキリスト教の教えが、ローマの人々に広く受容されたのではないだろうか（そのような契約に殉じる形で神への信仰を守る人は、正しき「義の人」ということになる）[*16]。

さて、これまで紹介してきたような西洋思想的価値観というものは、なかなか日本人にはわかりにくいものなのかもしれない。欧米ほどに契約社会ではなかった――そしてお上が一律的に刑を科していた刑罰主義的な――日本においては、西洋型の民事的な損害賠償のように、加害行為の後に金銭賠償をして「もう文句ないでしょ？」と言っている加害者をみると、どうしても違和感を覚えるであろう。だからこそ、ある法律を犯した人、あるいは不法行為によって誰かを傷つけた人が、「お金を払ったんだからもういいだろ？　さらに反省を表明しなきゃいけないなんてくだらない」という態度をとっていると、どこかで「これではきちんと罪を償ったとはいえないんじゃないか」と言いたくなることもある。

もちろん、欧米人だってみんなドライなわけではないし、そんな横柄な違反者や加害者を非難したりバッシングをすることもある。しかし、正義や法に関するその歴史は、我々日本人が積み重ねてきた思想の歴史とは異なるがゆえに、我々が赦せないものを彼らが寛容にも赦すことがあることはおさえておくべきであろう。

我々と異なるパースペクティヴからすれば、日本人が求めるものこそが、むしろ行き過ぎな正義として集団リンチにみえていたり、理性を失った感情的な反応にみえてしまうこともあるかもしれない。しかし、だからといって日本人が攻撃的な民族であるというわけではないし、逆に、西洋人がドライな金銭至上主義者というわけでもない。お互いにそのことは理解しておく必要があるだろう。

【注】

＊1　ただし、そこにはいくつかの混乱や矛盾する箇所もみられる、その理由としては、ヘシオドスがギリシアのみならず古代オリエントをはじめさまざまな文化的影響を受けているか、もしくは、ヘシオドスとされる著作の一部が後世の人に書き加えられたか、とも考えられる。

＊2　こうした世界観は、近代哲学においてはヘーゲルの弁証法的歴史観にもみてとれる。

＊3　その際、ゼウスはアルクメーネーの婚約者アムピトリュオーンに化けて交わるという、とんでもないことをしている。

＊4　他方、司祭階級は知的特権階級ということで伝承や祭儀などの知識を独占し、政治的イニシアティヴをもっていた（有名なものはデルポイの神託）。

＊5　ただ、ヌースという語の用法は単一ではない。後世のストア派においてはロゴスと同様に人間に備わった「知性」とみなされているが、アナクサゴラスなどの自然哲学者たちは、それは世界の側にあって世界の理どおりにその存在を成り立たせているものとみなしている。カントはこの語から生じた「ヌーメノン」（noumenon）を、感覚によって知られるところの「フェノメノン」（phenomenon：現象）と対立するような本質的世界あるいはその存在たる「物自体」（Ding an sich）と位置づけている。

＊6　詳しくは、プラトンの『ソクラテスの弁明』と『クリトン』を参照。

＊7　有名なものは、『国家』第七巻の洞窟の比喩。

＊8　詳しくは『ニコマコス倫理学』や『形而上学』を参照。

＊9　ちなみにこの「ストア」とはストイック（stoic）の語源ともなっている。

＊10　ローマの建国者ロムルスとレムスは、ギリシア神話の半神半人であるアイネイアースの息子といわれている。

＊11　三九五年に東西にローマが分裂し、学者と学説が乱立するようになったことから、ビザンティン皇帝ユスティニアヌス一世がローマ法をとりまとめて整理したものがローマ法大全のうちの「学説彙纂 *Digesta*」である。近代ドイツのパンデクテン法学はこれを重視しており、そのことは一九〇〇年に成立したドイツ民法典にも影響を与えている。また、日本の現行民法の整理・構成の仕方は「総則」からはじまり個別的規定へといたるような体系的パンデクテン方式であり、それはドイツ民法典の影響を、ひいてはローマ法の影響を受けているともいえる。

＊12　詳しくは、濱口弘太朗［二〇一六］「損害賠償法における損益相殺に関する総合的研究（2）」、『北大法学論集』六六（五）、七五―一二九頁を参照。

＊13　ドイツでは中世頃にローマ法が組み込まれ、それがドイツ普通法となっていったが、地方においてはゲルマン法的な慣習法がいまだに適用されていた。

＊14　西ローマ帝国滅亡後、勢力を拡大したゲルマン系フランク族の統一王国。後のフランス、イタリア、神聖ローマ帝国の元型ともいえる国家。

＊15　ただし、自力救済の名目で無駄な争いが生じたり、一方的に難癖をつけて相手から土地や財産を奪い取る輩がでてくると国内の治安が悪化してしまうので、諸侯を束ねる国王の権力が強くなった中央集権国家においては、国内の裁判制度を整備して各自の自力救済を禁止する動きもでてきた。

＊16　キリスト教における「義認」とはラテン語で *justificatio* であり、それは神に対し誠実である魂が聖化されることを意味する。

【図版出典】

三九ページ　ⓒ iStockphoto.com/janniswerner

第2章

# ユダヤ教・キリスト教・イスラーム――同じ神を崇める啓示宗教

次に、「ユダヤ教」「キリスト教」「イスラーム」を比較してゆこう。これらは同じ神を信仰するいわば同族ともいえる啓示宗教であるのだが、その世界観には大きな違いがある。

これらのなかで一番古株であるユダヤ教は苦難の歴史を辿りながらも、数ある迫害に耐え抜き、現在に至る。一見すると日本人には馴染みが薄いこの宗教だが、彼らの信じるトーラー（書かれた律法）の内容は、我々が「旧約聖書」と呼んでいるものであり、そこででてくる登場人物や出来事、それに教訓などは我々が普段読む小説や漫画、映画やアニメのネタとなっていることも少なくない（アダムとイヴ、バベルの塔、知恵の王ソロモン、など）。

キリスト教はいまや世界宗教ともいえるものであり、日本人である我々も何となくクリスマスを祝い[*1]、教会で結婚式を挙げたりもするが、その教えをきちんと基礎から理解していないケースも見受けられる。

イスラームについては、昨今のグローバルビジネス、そして海外旅行の機会が増加した影響もあり、ハラールなどイスラーム文化についての関心も高まっている。しかし、実際に接したことがなく、センセーショナルなニュースだけをその情報源とする人たちにはい

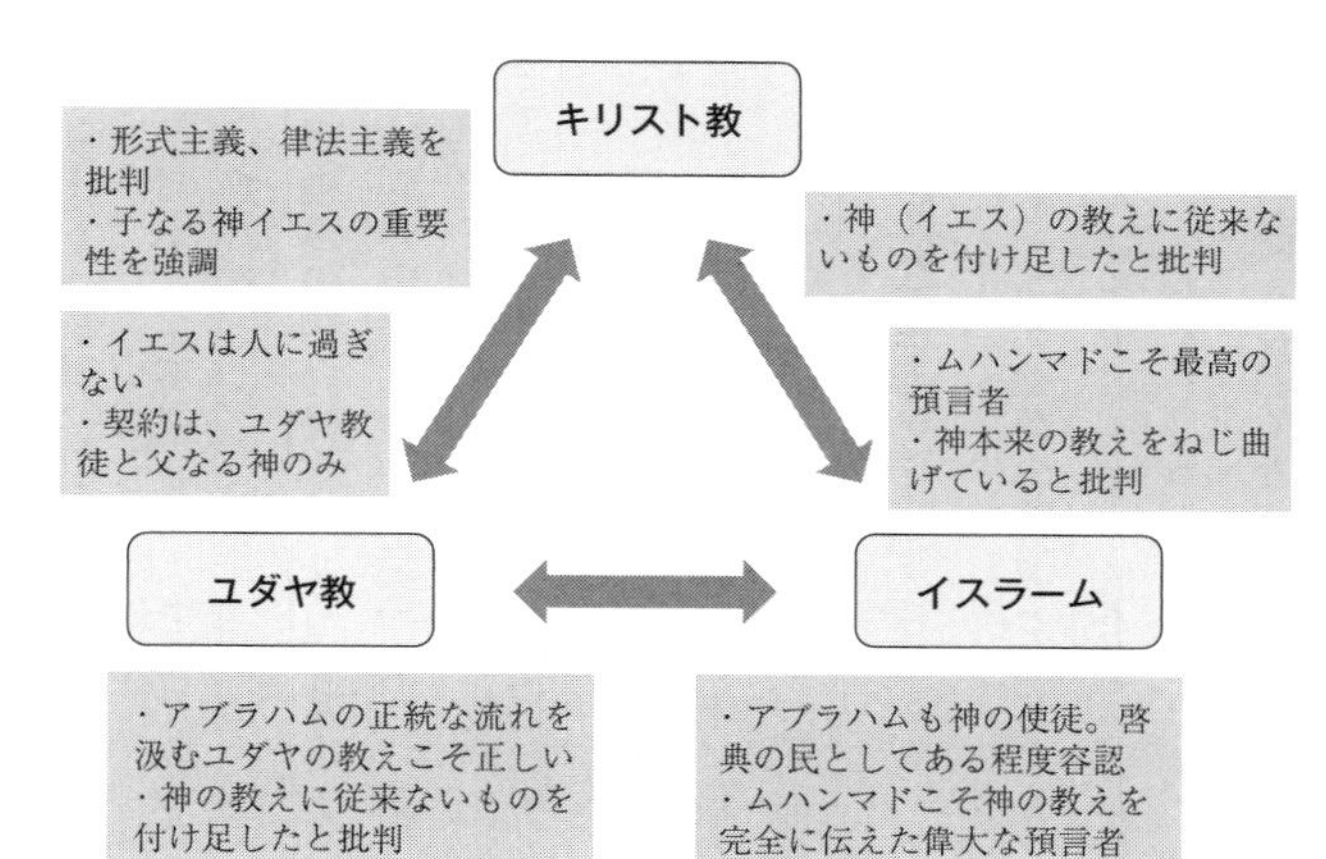


まだイスラームへの偏見が見受けられることもあるし、そもそもイスラームがユダヤ教とキリスト教と同じ神を崇めていることすら知らない人もいる。すべてを知る必要はないが、重要ないくつかの情報を知ることで、無駄に怖れ、無駄に忌避するということはなくなるだろうし、もしかすると他宗教の考え方に共感できる部分もみつかるかもしれない。

## 1　ユダヤ教――神との契約

### †聖典とは何か?

まずは、同根の三つの啓示宗教のなかで一番古いとされるユダヤ教からみてゆこう。

ユダヤ教の聖典は「旧約聖書」として位置づ

けられているが、しかしそれはキリスト教的観点からの呼び方であって、当のユダヤ教徒からすれば「聖書」には旧約も新約もなく、ただ自分たちにとっての聖典（聖書）があるだけである[*2]。

馴染みのない日本人からすると天地創造やアダムの制作といった神の御業が記されている彼らの聖典はおとぎ話のように聞こえがちかもしれないが、彼らにとっては歴史書であって、そこにでてくる登場人物や出来事、それに、ノアの箱舟やアーク（聖櫃）なども実在すると考えられている（日本神話に登場するヤマタノオロチの身体から須佐之男命がみつけたとされる草薙の剣（草那芸の大刀）を含む三種の神器が保管されているといわれるように）。したがって、彼らの聖典を粗末に扱うことは決してすべきではないし、これは新約聖書であろうがクルアーンであろうが同様である。

### †選民思想と律法主義

さて、ユダヤ教の特徴としてよく知られたものは「選民思想」と「律法主義」であるが、これだけを聞くと――昨今のパレスチナ問題やアメリカの中東介入政策との関連もあって――「ユダヤ人って傲慢じゃないの？」とか「アーリア人種の優位性を訴えたナチスの選民思想と変わらないのでは？」と思ってしまうかもしれない。ユダヤ教徒が「自分たちは神から救済されるはず」と主張しているのを聞くと、どこなく他宗教の方が寛容な思想にも思えてしまう。

しかし、彼らユダヤ教徒は人種そのものではなく、彼らの教え（神への帰依の仕方）こそが救済のためのワンアンドオンリーの方策であるとみなしており、その点ではキリスト教徒であろうがムスリム（イスラーム教徒）であろうが変わりはない。では、何をもってユダヤ教徒は「自分たちこそが救済される」と信じているのであろうか。

彼らが「選ばれし民」となり、その証として「約束の地」を与えられた背景には、主に二つの契約がある。それは「神とアブラハムとの契約」と「神とモーセとの契約」である。前者は神に帰依することでカナンの地（現在のパレスチナ）を自分たちのものとして未来永劫に保証してもらうという口約束である。[3]一方、後者は具体的ルールを（神がその指によって）石板に記したもので、モーセがそれを契約の箱（聖櫃［アーク］）に保管し、ユダヤの民はそのルールを遵守することで平和と繁栄が保障されるといった、いわば文書契約である。[4]

キリスト教徒からすると、この「旧い契約（旧約）」は他宗派であれば絶対に得られない特権をユダヤ人に与えているようなものである。そこで、そのような選民思想を改め、全人類を救済の対象とすべくイエスが降誕したわけで、そのイエスの言行を「新しい契約（新約）」と位置づけ、旧約ととりまとめて、キリスト教における「聖書」（Holy Bible）としているのである。しかし、ユダヤ教にとっての聖典にはそうした新しい部分は含まれておらず（というより、それは余計に付け足されたものでしかない）、彼らが信奉するのは旧約聖書に該当する部分であり、そのうちでも、書かれた律法である「トーラー」にあるモーセの教えを特に重要視する。

エジプトで奴隷化されていたユダヤの民を引き連れて脱出したモーセであるが、彼がシナイ山の頂上において神より授かった「十戒」とは以下のようなものであった。

**十戒**

①唯一神信仰
②偶像崇拝禁止
③神の名をみだりに唱えない
④安息日を守る
⑤父母を敬う
⑥殺人の禁止
⑦姦淫の禁止
⑧盗みの禁止
⑨偽証の禁止
⑩隣人の財産を欲しない

これらの戒めは、進化倫理学的にいえば、共同体の維持と繁栄に寄与するものと考えられる。特定の時代や環境のなかでこうしたルールを採用して遵守してきた集団はなんらかのアドバンテージを有する形で淘汰されることなく生き残ってこれたであろうし、また、生き残った集団においてそれは、「守って当然」「遵守しない人は仲間ではない」といった、もはや選択の余地のない常識となっている。

たとえば、「父母を敬う」のは共同体の成人たちが子どもを産むインセンティヴとなるので、社会の持続可能性に資するルールであるし（儒教の「目上を敬う」などの教えにも同様のことがいえるだろう）、「安息日」を守り、みんながお店を閉めて経済活動を停止する習慣は、格差の拡大をある程度抑制する方向に働いたかもしれない。それに、なんてことのないような約束事であっても、決まりを守り、それを相互に監視するような習慣のもとではフリーライダーは生じにくくなるだろうし、そこから共同体の団結が強まるかもしれない。「偽証の禁止」や「他人の財産を欲しない」という戒めも、成員同士の不和やトラブルを防止し、共同体の平和に寄与するものでもある。

もちろん、この十戒以外にも、ユダヤ教にはその集団維持のための重要な考え方があり、それは「産めや、増やせや」である。集団の規模を維持もしくは大きくすることは、他集団から滅ぼされないためにも重要なことである。そのためには、将来の共同体の担い手たる子どもたちがたくさん産まれる方が望ましい。このことは、神がノアに「産めよ、増えよ、地に満ちよ」（『創世記』第九章）と言っているように――また、アダムとイヴがエデンを追放されたのちに有限の命となり、女性が産む苦しみを背負うことになったことも含め——生殖・出産・子孫繁栄が推奨されていることとも合致する。

つまり、こうした聖書（トーラー）の教えは原則的に、共同体の維持・発展に寄与する教えとみることができ、[*5]こうしたありがたい教えを授けてくださった神の恩寵こそが、ユダヤが選ばれしものであることの証とも考えられている。

## †約束の地とイスラエル

さて、そんなユダヤにとって「約束の地カナン」とは、聖書においてたびたび「乳と蜜の流れる地」と言われているが、これはなにもミルクと蜂蜜だけが豊富というわけでなく、「十分に食物を食べ、何一つ足りないもののない地」という意味である。

神はまずアブラハムに「わたしはあなたの子孫にこの地を与えます」（『創世記』第一二章七節）と言った。またモーセにエジプトを出るよう勧める際にも神は「わたしはアブラハム、イサク、ヤコブに与えると手を挙げて誓ったその地にあなたがた（エジプトで奴隷となっていたユダヤ人たち）をはいらせ、それを所有として与えるであろう」（『出エジプト記』第六章八節）と言っており、実際その預言どおりにユダヤ人たちは——途中でモーセは亡くなったが——カナンに入りイスラエルを建国したのであった。

## 2　ユダヤの試練の歴史

### †国をもたない流浪の民

イスラエルはダビデ王のときに各部族を統一した王国となり、ソロモン王のときに栄華を極めた。しかし、のちに王国は分裂し、北のイスラエルはアッシリアにより滅亡、南のユダ王国も脅威にさらされ続け、新バビロニアによってユダ王国の首都エルサレムが陥落し、ユダヤ人たちは虜囚として連れ去られ王国は滅亡した（前五八六年の「バビロン捕囚」）。

その後、アケメネス朝ペルシアの王キュロス二世によって解放され、エルサレムに戻るもかつての勢いは取り戻せず、最終的にはローマの属州となった。属州とはいえユダヤ人の王がいた時期もあり、ヘロデ王のときにはエルサレム神殿の大改修などあったのだが、多神教が当たり前であった当時のローマからすれば、それは怪しげな宗教コミュニティであり、帝国に対する異分子として監視と抑圧の対象であった。こうした状況のもと、ユダヤ人たちは反乱を起こし（ユダヤ戦争）、紀元七〇年エルサレムは陥落、その後の抵抗もむなしく七三年には完全に鎮圧された。

ジェームズ・ティリ「バビロン捕囚」

いくらかはそれでもエルサレム付近に暮らしていたのかもしれないが、しかしこれをもってユダヤ人国家はなくなり、そこから祖国をもたない流浪の民としてヨーロッパ、そして世界中に散らばっていった（「ディアスポラ」［まき散らされたもの］と呼ばれる）。

こうして散り散りとなったユダヤ人たちであったが、その後もさまざまな苦難にさらされることになる。ローマ帝国の多神教時代には、ローマの神々とは一線を画す唯一神を奉じていたことから目を付けられがちであったし（これはキリスト教徒も同じである）[*6]、キリスト教が国教化された後は、ユダヤ人は「キリスト迫害者」として白い眼でみられることとなった（イエスをローマ総督ピラトに引き渡して処刑させる、処刑前のイエスに唾を吐きかける、などしたので）。それに、「国籍なし」「住所不定」というのは現在でも訝しがられるものであるし、散らばったユダヤ同士が繋がって、そのネットワークを利用し、「金貸し」「商人」として活躍したというのも反感を買った。[*7]

また、それぞれが暮らすところにユダヤ人礼拝所（シナゴーグ）をたてて集まっていたが、それがなかなか地域になじもうとしない選民思想的な異質な集団にみえたこともある。ナチスのホロコーストはよく知られているが、しかしそれ以前も、日常的な差別はもとより、災害や疫病のときにはユダヤ教徒というだけで疑われ、ときには国外退去命令もだされるという苦難の歴史を歩んできたのである。

### †イスラエルの建国

事情が変わり始めたのは、第一次世界大戦あたりである。第一次世界大戦時、ユダヤ系の資金を集めてそれを戦費とするためにイギリスはバルフォア宣言（一九一七年）によってシオニズム運動（ユダヤ人たちの故郷復興運動）の支援を約束した。これは、パレスチナにおけるユダヤ人居住地（国家）創設への助力を意味する。もちろんユダヤ人たちにとって悪い話ではなかったが、イギリスはオスマン＝トルコの統治下にあった同地域のアラブ人たち（多くはイスラーム教徒）にも独立を約束していた（一九一五年のフサイン＝マクマホン協定)[*8]。これが後にユダヤ対アラブ、イスラエル対イスラーム諸国との間の中東戦争の火種となる。

一九一八年のオスマン帝国降伏以降、次第にユダヤ人たちがパレスチナに入植を開始したが、その地に何世代も暮らしていたアラブ人たちは当然反発した。第二次大戦終結後、ユダヤ人たちはナチスによる大虐殺を生き延び、いよいよシオニズムの機運も高まってきたのだが、当時パレスチナを委任統治していたイギリスはどうにも問題を解決できずにお手上げとなり、一九四八年に国連にその問題を委ね、パレスチナ分割案が採択された。同年イスラエル独立宣言がユダヤ人たちによってなされたが、その強硬な入植姿勢はアラブ人との対立を引き起こし、周辺イスラーム諸国の反発もあってその後長く続く中東戦争の火ぶたが切られた。

## †宗教的違いだけが対立の理由ではない

こうした宗教間の争いをテレビなどで知った人のなかには、「ほら、一神教っていうのは攻撃的で不寛容だよなあ」と言いたがる人もいるかもしれない。しかし、多神教の我が国であっても他宗教を迫害したり(江戸時代のキリスト教弾圧など[*9])、国内において宗教間闘争のような事態があったことを考えると(蘇我(そが)氏対物部(もののべ)氏の仏教受容闘争や、明治期の廃(はい)

仏毀釈運動など）、それは一方的な偏見や思い上がりにすぎない。

少なくとも、現状のユダヤ教対イスラームの闘争の背景には土地問題、政治問題があって宗教が異なるだけで争っているわけではない。イスラーム諸国がユダヤ人のパレスチナ入植に難色を示しているのはユダヤ教を嫌悪しているからではなく、そこで暮らしていた同胞たるムスリム（イスラーム教徒）に配慮していること、そしてより実質的理由としては、強硬な入植によって土地を追われたムスリムが難民となって自国に押し寄せることへの懸念もあったからである。

異なる宗教をもった人たちに対し、我々はどうしても怪訝な顔をしがちであるし、分かり合えないのは異なる信仰をもっているからだと思いがちである。しかし、そうであってもうまくやっている人たちがいることを考慮するならば、うまくいってない背景には、宗教そのものの違いだけでなく、それに付随する実質的問題が未解決であることがほとんどであり、それが感情的なもつれや偏見として絡まってしまっていることがある、といえよう。

## 3　キリスト教——無償の愛と広い救済

### †イエスの奇跡

ここでは、ユダヤ教の一部を批判的に継承しつつも独自の教義を確立し、世界宗教ともいえる広がりをみせたキリスト教について論じよう。キリスト教を理解するためのアルファでありオメガでもあるのが、「救世主イエス」の存在である。まずはイエスの存在が、ユダヤ教とどのように関連していた（あるいはしなかった）のか、というところからみてゆこう。

ユダヤの預言者イザヤが、「イスラエル王国滅亡後も、指導者が現れ、ユダヤ人は救済される」と予言し、そしてバビロン捕囚、ローマの属州化ののち、ついに現れたのが、北パレスチナのナザレで生まれたイエスである。ゆえに、ユダヤ教からすると、イエスは神ではなく、ユダヤ人（ダビデ王の子孫ともいわれる）の預言者・指導者ともいわれる。しかし、キリスト教徒からすれば、イエスは神であり、全人類を救済してくれる救世主（メシア）である。[*10] 旧約とあわせてキリスト教の聖書を構成するところの「新約」とは、この新たな救済の契約のことを意味する。そして、イエスの存在とその言行を通じた（つまり聖書に記された形での）その喜ばしい知らせは「福音」と呼ばれる（これが「エヴァンゲリオン Evangelion」)[*11]。しかし、どうやってそんな救済が可能となるというのだろうか。その理解の鍵は、イエスの「生誕」「処刑」「復活」にある。

イエスは天使ガブリエルがヨセフの妻マリアにその受胎を告知したのちに生まれたが（『ルカ福音書』第一章二六―三八節）、マリアはヨセフと性的に交わっていなかった。ヨセフは妻が不義を働いていた場合には「石打ちの刑」にあうことから、その身を案じて自ら婚約を解消することを考えるが、夢の中で天使ガブリエルによって妻が不義を働いていたわけではないこと、そして、この妊娠が聖霊によるものであり、生まれる子は民を罪から救うということを伝えられる（『マタイ福音書』第一章二〇―二一節）[*12]。このように、原罪を負った人々を救うべく生まれたイエスは、普通の人々では知りえない神の意志を有しつつ「受肉」を果たしているといえる。

ムリーリョ「受胎告知」

ポイントは、イエスが単なる預言者として、普通に（母と父の性交のもと）生まれて、そのあとで神の声を聞いて人々を救済しようと決意したというわけではなく、生まれる以前に神の意志を有しており、そして、神の言葉（ロゴス）を人々に伝えるために、普通の人間ではありえない生まれ方をもって処女懐胎の奇跡が起こったことである。生後のイエスの言行も、荒野で悪魔の誘惑を退けたり、病人を癒したりするなどのさらなる奇跡を示しており、新約聖書においては、イエスの存在そのものが神の奇跡の現れである点には留意すべきである。

### †無償の愛と磔刑

さて、イエスの教えとユダヤ教との違いでいえば、前者は形式にとらわれない「無償の愛」を説いたことであろう。たとえば、当時、（旧）イスラエル人とアッシリア人の混血であるサマリア人はユダヤ人コミュニティのなかで差別・迫害されていた。サマリア人はその血筋もさることながら、かつて自分たちの神殿があったゲリジム山を唯一の聖地としており[*13]（エルサレムでなく！）、その教えも正統派ユダヤとは異なるものであった。

イエスはその説法のなかで「よきサマリア人」の話をもちだし（『ルカ福音書』第一〇章二五―三七節）、律法主義を超えて無条件に他人を慈しんで善行をなす人間こそが「隣人」であり、そうでなく形式主義で他人を見捨てがちな当時のユダヤ人たち、とりわけ、イエスと対立していた律法重視のユダヤ人ファリサイ派（パリサイ派）を批判した。こうした愛の究極は、神の人間に対する無償の愛（アガペー）であるのだが、キリスト教徒においては神のこうした振る舞いに倣い、無関係な他人や敵すらも愛することがよしとされる。イエスは神の本質を愛とみなし、それに沿って生きようとしないユダヤ教徒を批判したのである。

もっとも、イエスのそうした批判的言行は敵を増やすものであり、同じユダヤ人たち（律法学者、祭司、ファリサイ派）はイエスを「神を冒瀆した罪」で捕らえ、ローマ帝国総督ピラトには「ローマ帝国への反逆をもくろんでいる」と告発し、（ピラトは乗り気ではなかったようだが）なかば群衆裁判のような形で死刑に追い込んだ。

しかし、そもそもイエスは、「あと二日で過越し祭りが始まります。いよいよ私が裏切られ、十字架にかけられるときが近づいたのです」と自らの死を予見しており（『マタイ福音書』第二六章二節）、ユダの裏切り、ユダヤ人たちの告発、ローマ帝国による処刑を知っていたにもかかわらず、そして逃げようと思えば逃げることができたにもかかわらず、あえて十字架[*14]にかかることを選んだようにもみえる。キリスト教的には、これは生まれながらに原罪をかかえる人類――これから生まれてくる人も含め――の身代わりに、何の罪もないイエスが十字架にかかることで罪をあがなう**贖罪**を完成させ、全人類がその罪深さを赦されたことを意味する。

つまり、イエスの十字架刑があったからこそ全人類が救済されたわけで、イエスの「誕生」「活動」「死」という一連の流れこそが、ユダヤ教単独ではなしえなかった「神の愛のもと、人類を救済する」という偉業と福音を示しているわけである。ただし、その救済プロセスが完遂するには「復活」以降の話もまた不可欠とされる。

## †全人類の救済

イエスは処刑された三日後に復活する。その後、閉じこもっていた弟子たちのところを訪れ、自身が何者であるのかを悟らせる。たとえば弟子のトマスはその復活した姿をみて「わが主よ、わが神よ」といっているように、復活することで改めてイエスは自らの神性を人々に決定的な形で示してみせたといってよい*15(『ヨハネ福音書』第二〇章二六―二九節)。

それを機に、イエスの言葉こそ神の言葉として、その救済の言葉を記したり、布教によって世界に知らせることになる。これこそが、イエスの「生誕」→「言行」→「死」→「復活」が全人類を救済することを意味するようになったプロセスであり、そのプロセスを記したものこそが「新約聖書」なのである。

「復活」がキリスト教にとって意味があるのは、それをもって全人類の救済という福音が示されている点にある。「善を為したものは再び命を授かる」という喜ばしい知らせ（福音）は、まずは何の罪も穢れもないイエスが復活してみせることで、その正しさが民へ実際に示された。もちろん、他の人間はイエスほどの善性はないし、ときに流されたりもする。しかし、神の恩寵によって、時が来れば（最後の審判の日に）死者は復活し、生前に善を為したものはイエス同様に再度命が与えられることになっている（『ヨハネ福音書』第五章二九節）。復活はパウロの書簡にある『コリントの信徒への手紙』などでも言及されているが、このようなイエスの言行と奇跡を弟子たちが、「神の教え」として記し（聖書）、それが普遍的真理であると布教・伝道してゆくことで、それを信じた人たちが善行を為し、結果、この世界が良くなり、死後に救われる人々もどんどん増えてゆくことになる。イエスが救世主たるゆえんはここにある。

## 4　キリスト教の拡大と多様化

### †教会の東西分裂

キリスト教は当初ローマ帝国に弾圧されていたが、その熱心な――ある意味、命を賭した——布教活動によって帝国内に広がってゆき、三一三年にはコンスタンティヌス帝のミラノ勅令によって公的に許可された。三二五年のニカイア公会議では三位一体説を唱えるアタナシウス派が正統と認められ（ニカイア信条）、その後の三八〇年、キリスト教徒であったテオドシウス帝がそれをもって正統信仰でありそれ以外はキリスト教ではない旨を定め、三九二年にはキリスト教以外のあらゆる宗教を禁止した。こうしてローマ帝国と一体化したキリスト教であったが、しかしそれは、帝国の分裂が宗教体制の分裂となることを意味していた。

三三〇年にはビザンティオン（コンスタンティノポリス）に首都が移り、ローマ帝国の重心が東方に移ったともいえるが、その後三九五年に分裂、西ローマ帝国は四七六年に滅亡し、教会組織も東方と西方とに分断された。すると、ビザンティオンにおかれていた五大総主教座の一つコンスタンティノープル総主教座が東方教会の主導的立場をとるようになった一方、[*16]同じくその一つであった西のローマ教会は、のちにフランク王国などと結びつきを強めながら西方教会の主導的かつ唯一的立場に立った（ローマ・カトリック教会）。

ここに、キリスト教世界における二大派閥、ローマ・カトリック教会と正教会との分離・対立の歴史がはじまる。コンステンティノープル総主教座は東方教会の総主教庁として、正教会の教えこそを正統とみなすが（Orthodox Church：語源は、ギリシア語「オルソス［正しい］」＋「ドクサ［考え・教義］」）、ローマ総主教座は自分たちの方こそが「カトリック」であると主張した（Catholic Church：語源は、ギリシア語「カトリコス［普遍的］」）。両者は交流を続けるものの、次第にその関係は疎遠となってゆく。

もともと両教会は兄弟のようなもので、ローマ・カトリック教会と正教会、それぞれの初代教会指導者と位置づけられた人たちも兄弟だったわけだが[17]、聖霊の教義などついて齟齬・対立が生じたり（フィリオクェ問題[18]）、ローマ教皇の政治的振る舞いに東ローマ帝国および東方教会が不快感をおぼえたりなどして[19]、一〇五四年には互いに互いを破門した。

## †プロテスタンティズムの誕生

一六世紀にはさらに、ローマ・カトリックに反発した人たち（プロテスタント［抗議するもの］）がプロテスタンティズムと呼ばれる宗派を形作りはじめ——彼らにとってみればそれは正しき教えへの回帰でしかないのだが——それが西ヨーロッパに散らばりながら次第に影響を与えていった。もともとは、レオ一〇世の贖宥状[20]販売への反発がきっかけではあったのだが、その背景にはローマ・カトリック教会の特権的な在り方に不満を抱く市民感情があった。

その先導役（あるいは扇動役？）ともいえるドイツのマルティン・ルターの『九五カ条

の論題』は一五一七年にヴィッテンベルクの教会に貼り出されたものであり、それは贖宥状によって救済をちらつかせるローマ・カトリック教会を批判するものであった。

キリスト教の教えではすべての人間は神の前では等しく、「義」と認められるような正しい在り方とはローマ・カトリック教会の言いなりになることでもなければ贖宥状を買うことでもなく、ただ信仰によってそうなるだけである（**信仰義認説**）。そもそも人の罪を救えるのは同じ人ではなく神であり、ゆえに「教会の真の宝は、神の栄光からなる最も神聖な福音、そして神の恩寵（愛）である」（第六二提題）といって、福音の書である「聖書」と、神の愛を信じ神へ祈る信仰心に戻るようルターは主張した。

この時点においては、ルターはローマ・カトリックの権威を全否定しているような感じではなく、神がなすべき煉獄からの救済を教皇が贖宥状をもって行うという越権行為に対する批判であったのだが、この「福音たる聖書に回帰する」という点をプロテスタンティズムにおける核心的教えとして定義すると、その論理的帰結として、全信徒における平等主義という側面が強くなってゆく（これは一五二〇年の『キリスト者の自由』という論文で強調されている）。こうしたスタンスをつきつめると、「カトリックのような聖職者は不要であり、それぞれの職で生計を立てるすべての世俗の人が祭司である」という**万人祭司主義**となってゆく。

こうして世俗化されたキリスト教は、世俗の職を軽んじる教会中心主義から脱却し、それぞれの職業は各人が神にこの世界へと呼ばれるにあたり命じられたものであり、人々は日々神の栄光のもとで暮らしているという世界観へと至る。これを強調したのがフランスに生まれ、後にスイスのジュネーブで活躍したジャン・カルヴァンである。

### †職業召命観と近代資本主義

カルヴァン派の特徴は、その厳格な禁欲主義にある。禁欲的生活の実践がなければ、いくらルターのように信仰義認を唱えようが、それは救済の対象とはなりえない。カルヴァン派にとって信徒の在り方とは、「今禁欲すれば救われる」という条件的なものではなく、「救われることが決まっている人は、そもそも禁欲的な生き方をするはずである」という決定論的なものである。つまり、するかしないかの選択肢を人間がもつということは、人間は自分で自分を救済できることになってしまうが、救済はあくまで神の御業であって人間には選択肢はない。救済されるかどうかは神によってすでに決められているのであり、これがカルヴァンの教義を**予定説**とみなす所以(ゆえん)である。

カルヴァンはプロテスタンティズムとして世俗の信徒の在り方を肯定するが、それはこの予定説と相まって、それぞれの仕事に禁欲的に励む人はみなそうした救済が予定されているというカルヴァン派の**職業召命観**を形成することになった。

一九世紀の社会学者マックス・ウェーバーはその著書『プロテスタンティズムの倫理と資本主義の精神』において、近代資本主義がヨーロッパで根付いて発展した背景には、こうしたカルヴァン派の職業召命観のもとで醸成された「エートス」があると分析した。[*21]「禁欲的に仕事に励む」ということは、一生懸命働いて稼いだ財貨は、贅沢や無駄遣いをするために使われるのではなく、その仕事を継続するのに役立てるよう有効に活用されることになる（資本主義において、余剰利益を資本投下するように）。そうすることで、その財は社会全体に行き渡るし、互いの契約・取引がウィン・ウィンの形で継続し、社会は豊かになってゆく（同様の思想は、一八世紀の日本の思想家である石田梅岩（いしだばいがん）にもみてとれる）。ウェーバーによれば、資本主義のもと産業規模が大きくなったオランダやイギリスに対し、（当時の）スペインやフランス、そしてドイツの地方はこうした労働観・世界観の欠落ゆえにそれが遅れ、貧しいままであった、という。[*22]

## †英国国教会の独立

他方、イングランドもまた独自の路線でカトリックから距離をとることになる。一六世紀、ヘンリー八世の離婚についてその正当性を認めなかったローマ・カトリック教会に対し、ヘンリー八世は国内のキリスト教教会の首長であることを宣言し、その息子のエドワード六世および大主教クランマーのもとで改革が進められる。さらに、エリザベス一世と大主教パーカーが『祈禱書』『三九信仰カ条』を制定して教義をかため、英国国教会（Church of England）は本格的に独自路線をゆくことになった。*23

これだけでなく、イングランド的プロテスタンティズムからはさらにいろいろな教派（バプテストやクェーカーなど）が登場し、大航海時代、市民革命期、その後の列強諸国による海外貿易などさまざまな経緯を経て、世界中へと散らばってゆくことになる。

## 5　イスラーム——制約と結束の宗教

### †誤解されやすい宗教

さて、これまでユダヤ教、キリスト教と論じてきた。それらの近親性・類似性と比べ、おそらくそれら二つとこのイスラームとの間には大きな溝があるかのように思われがちである。パレスチナ問題におけるイスラエルとアラブ諸国との対立、そして、イスラーム過激派が欧米各国に対して行うテロ活動などが頻繁にニュースで取り上げられる昨今、「イスラームって、他の宗教には厳しいよね」とか、「ジハード（聖戦）って考え方がある好戦的な宗教だよね」と言っている人も時折見かけられる。

しかし、イスラームには他の二宗教との共通点もいくつかあるし、それら二宗教よりも——見方によっては——寛容ともいえる政策をとっていたという事実を我々は知るべきであろう。

昨今のイスラーム諸国と欧米諸国とのいざこざには、たしかに人々の対立意識には宗教的差異に基づく集団心理がみえはするものの、その根幹には国際政治上のトラブル——二〇世紀半ばまでは西欧諸国とイスラーム勢力との領土争いやユダヤ人の中東入植問題、二〇世紀後半からは石油利権に関わるアメリカなどの干渉とそれに反発するテロの連鎖など——がある。人々は「分かり合えなさ」の背後には何か分かりやすい理由があるはず、と考えてしまう傾向があり、そこで「宗教が違うから分かり合えないんだ」と決めつけてしまう。しかし、果たしてそうであろうか？　たしかに分かり合えない部分もあるだろうが、分かり合える部分はまったくないのだろうか。そもそも、互いの宗教を尊重し、相手の信仰のメリットや正当性を理解したうえでのことなのだろうか。こうした点を踏まえながら、ここではイスラームの特徴についていくつかみてゆきたい。

## †イスラームとは何か？

イスラームとは、神（アッラー）の教えに完全に帰依することを意味しており、その仕方は、そのムスリム（信徒）が、預言者ムハンマドが授かった啓示内容を記した『クルアーン（コーラン）』に沿った生活・政治をすることにある。教科書的には、その内容は**五行**（信仰告白、礼拝、喜捨、断食、巡礼）と**六信**（アッラー、天使、啓典［啓示］、預言者、来世、宿命）にまとめられ、主要な聖地はムハンマドの生誕地メッカ（マッカ）と遷都先メディナ（マディーナ）、そしてムハンマドが天に召されて旅をしたエルサレムである（岩のドームがある）。

出来事についてのいくぶんかの相違点はあるが、ユダヤ教・キリスト教との共通点は少なくなく、実際ムハンマドのもとにはあの天使ガブリエル（ジブリール）も訪れているし、預言者であるモーセはおろか、かのイエスの存在ですらイスラームでは認められている（預言者である「人間」としてであるが）。イスラームにおいても偶像崇拝は禁止されているし、アブラハムはイスラームの民（アラブ系）の祖でもあって、同様の啓典の民であるユダヤ教徒・キリスト教徒と同じルーツをもつことも認めている。

ただし、他の二つとの決定的な対立点は以下のことである。イスラームでは、唯一絶対

聖地メッカのマスジト・ハラーム

である神の教えについて、ユダヤ教やキリスト教の預言者たちは（イエスも含め）不完全な形でしか伝えていないが、それを完全な形で理解し伝えた最高の（そして最後の）預言者こそがムハンマドだとされる。ゆえに、ムハンマドが残した『クルアーン』こそが完全な聖典であり、[*24]ユダヤ教やキリスト教の聖書は不完全な書物ということになる（しかも、ユダヤのみが救済の契約を結んでいるとか、イエスが神である、などという点では、それらは大きな間違いを含んでいることになる）。

さすがに、ユダヤ教徒やキリスト教徒たちがこれを受け入れるはずもなく（自分たちの存在意義が否定されているようなものなので）、ときに互いが互いを「神の教えを歪めし邪教である」と罵りあい、そしてそれを建前として、それぞれの勢力圏に攻め込み、征服し征服されたりもした。

聖戦とは何もイスラームだけの考え方ではなく、それはキリスト教徒のなかにも確認できる（エルサレム奪還を目指す十字軍や、イベリア半島におけるレコンキスタなど）。基本的に、イスラームの聖戦はイスラームを害しようと攻めてきた者に対する自衛の考え方であり異教徒殲滅（せんめつ）の意味合いはないが（過激派がそれを拡大解釈することはある）、かつてのキリスト教には異教徒の排除・殲滅という面があったことは否めない[*25]（同胞に対する異端審問などもあった）。

エルサレムの帰属に関してはそれぞれの聖地への侵害を排除しようという趣旨の「聖地奪還運動」として争うことはあったが、イスラームがユダヤ教徒やキリスト教徒をその教義だけで「滅ぼすべき神の敵」とみなすことはなかった。というのも、イスラームにおいては、自国内でユダヤ教・キリスト教徒である自由は条件つきで許されていたからである。イスラームは彼らを「啓典の民」ということで庇護民（ズィンミー）とみなし、人頭税（ジズヤ）を支払うことによってその信教の自由を認めていた。ただし、それは当のユダヤ教徒・キリスト教徒からすると屈辱的であったに違いないし、また、イスラーム社会を支えるための金銭的犠牲者ともみなせるものではあるのだが。

## †スンナ派とシーア派

さて、イスラームもまた他宗教の例にもれず、宗教内部でさまざまな分派が生じた。基本的なものとしておさえておくべきはシーア派とスンナ派（スンニ派）との分裂であろう。前者は、ムハンマドの親族であり義理の息子アリー[*26]とその子孫こそムハンマド亡き後のイスラーム世界の最高指導者（イマーム）とみなす一派で、イランやイラクなどで今も多数派を占める。

後者はスンナ（慣行）を重視し世襲を否定する一派で、カリフ（イスラーム共同体の統率者）としてのアリーの地位は認めるものの、それ以前にカリフとして選出されたアブー＝バクル、ウマル、ウスマーンもまた正統なイスラーム指導者たちとする。スンナ派はサウジアラビアやエジプトをはじめ、アラブ世界のなかでは多数派を占め、人口的にみればシーア派よりも圧倒的に多い。

両者の間にはそのほか細かい儀式や作法などの違いはあるのだが、大事なことは、両者はともにイスラーム法を重視しており、それは神の言葉が記された『クルアーン』と、預言者ムハンマドの言行やその慣行がまとめられた「ハディース」、そしてムスリムを代表する神学者たちの一般的承認（イジュマー）を法源とする点である。ただし、宗派や学派、それらに属する各国の法学者たちによってどの部分を重視し、どのように解釈するかについてはさまざまな違いもあり、同様のことを禁じてはいるものの、禁を破った者に対する制裁や刑罰については違いも見られる。

## 食事規定の共通点

実際のところ、こまかい生活様式を律法的に規定しているという点では、ユダヤ教はキリスト教よりもイスラームに近いものであり、罪や罰にも共通点がみられる（姦淫者に対する石打ちの刑など）。また、両宗教は食事規定もキリスト教以上に厳しい。ユダヤ教の場合、書かれた律法（モーセ五書）であるトーラーと、口伝およびそれに関する議論・注釈をラビたちが作成・編集したタルムードに従って生活様式が定められている。トーラーの食事規定（カシュルート）では、食べてよいもの（コーシェルあるいはカシェル）と、そうではないもの（テレファ、「裂かれたもの［死骸］」の意）の区別がある。陸の動物は草食で蹄（ひづめ）が割れていて反芻（はんすう）するものは食べてよいが、反芻をしない動物である豚を食べてはいけない[*27]（『申命記』第一四章八節）。一方、イスラームでは『クルアーン』において食べてよいもの（ハラール）とそうでないもの（ハラーム）が示されており、やはり死肉（死骸）と豚肉を食べてはいけないとされている（『クルアーン』第二章一七二―一七三節）。

つまり、それぞれの理由は違えども、豚を食べてはいけないということは共通している。[*28]また、食べてよい動物について、その処理方法が定められていることも共通しており、血抜きをしてから調理しなければならないのはユダヤ教もイスラームと同じである（ユダヤ教は『レビ記』第一七章一〇―一三節、イスラームは『クルアーン』第二章一七二―一七三節）。

しかし、キリスト教にはこのような厳格な食事規定はない。おそらくではあるが、異民族をつぎつぎと取り込んでいったローマ帝国領域内においては、食事規定・生活規定が厳しい教えよりも、「異なる在り方をしていてもいいんですよ。神さえ信じれば救われますので」という緩やかな教えの方が、さまざまな文化をもつ人々の間で定着しやすかったのであろう。イスラームにおいては毎日の礼拝回数・時間が決まっているが、キリスト教には安息日を除きそれがないということも、さまざまなコミュニティや職種にキリスト教が受け入れられやすかった理由のようにも思われる。原始キリスト教は、元来がユダヤ的な律法・戒律主義へのアンチテーゼとして出発したものであったのだから、その緩やかな信仰形態というのは当たり前といえば当たり前なのかもしれない。[*29]

ローマ帝国内にいたキリスト教徒とは対照的に、飢饉や病気や略奪などに怯えつつ厳しい環境のなかで過ごさざるをえなかったユダヤ教徒やムスリムたちは、同胞・同部族のもと少人数で結束して生きてゆかなければならず、その一体感・連帯感保持のため生活様式などの統一が強く求められたのかもしれない。とりわけ食事というものは身近なだけにその生活スタイルに不可欠なものであり、特定の決められた食事ができる環境が限られている場合、コミュニティの成員は自身の所属集団を抜けるよりは帰属し続けてそこで生活することを選択する見込みが高くなる。[*30] 森や水源が豊かな西ヨーロッパよりも過酷な環境であったイランやパレスチナやサウジアラビアなどの中東地域において、こうした厳格な形式の宗教が生き残ってきたということにもそれなりの理由があるだろう。[*31]

### †アッラーの思し召し

さて、そんなイスラームの世界観・人生観の特徴といえば、やはり「アッラーの思し召し(インシャー・アッラー[インシャラー])」という「天命」の考え方であろう。もちろん、こうした考え方は全知全能の神を想定するユダヤ教やキリスト教にも共通するのであるが、しかし、イスラームにおけるそれは特筆するに値する。

たとえば、キリスト教においてはすべてを決定する神を信仰はするものの、その意図は預言者でない一般人には知る由もなく、ゆえに、人々は自分の意志のもと日々を過ごし、商売をし、契約をする。神の法はたしかにあるが、人間社会には人間の法(人定法)があり、そのもとで契約通りの債務履行を求めたり、不履行の相手にはその分の損害賠償を求めたりするなど、人間社会向けにアレンジされた「天秤モデル」「契約モデル」「賠償モデル」での日常行為が営まれている（これはある程度経済的に成熟した社会なら当たり前なのだが）。

もちろん、イスラーム社会にだって日常的な契約行為はありふれているわけだが、決定的な違いは、どうしてもうまくいかないときは「アッラーの思し召し」として諦めましょう、という姿勢がそこにはある、ということである。実際、「なにかトラブルがあった場合でもそれはアッラーの思し召しであるので賠償はしない」と書かれた契約書もあるくらいである。西洋社会型の契約－賠償スタイルに慣れ親しんだ人であれば、「いや、できなかったら返金してくれよ」とか「損害が出たぶんだけ補償してくれ」とか「そもそも諦めるなよ……」とつい思ってしまうだろうし、「そんなゆるゆるだとみんないい加減になって、誰も責任をとろうとしなくなるようなモラルハザードが起きるのでは？」とも思ってしまう。しかしそれは、不特定多数を相手にするキリスト教的商業社会からみた感想にすぎない。

限られた数の同胞、そして限られた数の商売相手と暮らす（かつての）イスラーム共同体（ウンマ）では、多少の失敗にとやかく言って責任追及したりすることは集団内に不和を生じさせかねないので、「アッラーの思し召し」とするような寛容さが重要であったことだろう。もちろんそんななかでも怠け者やフリーライダーが現れるかもしれないが、そんな人は次第に相手にされなくなるので、それを繰り返すことは自然と（ある程度は）憚られる。

仲間うちにおいては多少の失敗や困難を「アッラーの思し召し」として笑い飛ばすような鷹揚さ・寛容さというのはむしろメリットが大きいのだ。というのも、失敗した相手に悪気がないことを前提として「アッラーの思し召し」とすることで、信頼の姿勢を相手に見せ、そして相手もそんな自分を信頼するようになり、どちらかが失敗した場合にも重すぎる賠償責任を負わないような一種の相互保険としてそれが機能するからである。その点では、それはそれで効率的なシステムといえるし、イスラームという連帯がヨコに広がっていったときにも、ムスリム同士でうまく働いたのであろう。

ただし、これはそうした文化的共同体の内側にいればの話であって、外側からはそのロジックは非効率的かつ反倫理的にみえる。そして、その外側の非ムスリムと内側のムスリムとが経済的交流をするようになり、ムスリムの過失ゆえに非ムスリムに損害が生じたとき、ムスリムが「神の思し召しだから……」と言ってしまうと、損害を受けた非ムスリムは「イスラームはおかしい」とか「イスラームはいい加減だ」とつい思ってしまう。まあ、そのように見えるのは仕方ないとしても、しかし、それが非ムスリムが一般に考えるところの「悪」や「不正」と同様のものであるかどうかはよく考えるべきであろう。

## 姦通罪とイスラーム法

もっとも、「文化」だからといってすべて肯定されるべきなのか、という問題もある。たとえば、婚姻前あるいは婚姻外の性的行為を禁じるイスラームにおいては、性の自由や多様性が否定されていたり、同性愛者や女性の人権が侵害されているのではないか、といった懸念もある。よく挙げられるのは「ズィナー(姦通)」[*32]であるが、それに該当するとみなされた人は最悪その生命を失うことすらある。姦通罪については当該者が男性か女性か、未婚か既婚かによって刑罰が異なり、一般に未婚者には鞭打ち刑がなされることが多い。しかし、未婚者であっても当事者の片方である女性が石打ち刑で処刑されることがある一方で、もう片方の男性は鞭打ち刑で済むというケースなどもある。たとえば、二〇一五年アフガニスタンのゴール州では、親から結婚が認められない恋人とのズィナーとして女性が石打ちの刑で死亡した[*33](男性は鞭打ち刑)。また、二〇一九年にはブルネイにおいて、厳格なイスラーム法解釈のもと、同性愛や不倫に対する石打ちの刑があらためて制定された[*34]。

こうしたことから、国際社会において「イスラーム世界では、人道に反することが行われている」との批判もある。しかし、イスラームも、実際にそれが法律として運用される在り方は国家によってさまざまである（イスラームの法は不変ではあるが）。

そこで実施されるイスラーム法（シャリーア）は『クルアーン』や「ハディース」、それにスンナ（慣習）をその基礎としているが、それは解釈次第なところもある。たとえば、ハディースはムハンマドの死後に多くの学者がそのコアパートである『クルアーン』を拡張的に解釈したものであって、そこにはさまざまな解釈の余地がある。それが各国における法・政治制度をいくぶんか異なるものにしているわけで、国の制度によっては婚前性的交渉は死刑にならないケースもある[*35]（インドネシアにおいてシャリーアが施行されているアチェ州では、ズィナーは公開の鞭打ち刑となっており、たびたび執行されている）。

イスラームにおいては、法政策を実施する権力者（とそれを支持する法学者）がどこを重視して法に反映させているかが重要であって、イスラームの教えをすぐさま「人道に反する」と決めつけるべきではないだろう[*36]。

## †男女の非対称性

それに、「性」にするこうした厳格な規律には、その集団にとってのメリットもある。ムスリムは性的関係に関して一般的なキリスト教徒以上に厳しい制約のもとで生活しているが、性的関係を夫婦間のみに限定しようとするそのやり方は、集団内部の痴情のもつれを極力減らすものであるし、その集団の出生率を向上させるように働くだろう。石打ちの刑や鞭打ちの刑などが他人の配偶者に手を出すことのリスクを思い知らせることでそのインセンティヴをそぎ落とし、嫉妬や痴情のもつれ、そこから発生するムスリム同士の憎悪や報復などを予防し、そうでない集団と比べると結束力が高まることが予想できる。

とはいえ、人々がもつ性欲自体がそれで消えるわけではない。するとそれを発散する場が必要となるわけで、それが「夫婦」である。夫婦間に限定される性の営みは、それぞれが生まれつき抱える性的欲求を社会に野放しにすることなくうまく制御し、しかも子どもをもうけて集団の維持・拡大へとつなげうるという点では、イスラーム共同体においては善行ですらある。

もっとも、イスラームにおいては男女間の権利・義務関係の非対称性が多くみられ、それは男女差別的ではないのかという批判がなされることもある。一般的に男性は四人まで妻をもてるが、その逆はないことから、男女間の法的権利において不平等があることは確かである。しかし、その不平等が反倫理的とは一概にいえず、経済力のない女性を経済力のある男性ができる限り扶養することはむしろ男性側が（可能であれば）果たすべき倫理的義務という見方もできる。*37

それに、ムスリム女性にまったく自由がないわけでなく、女性が奴隷化されているというわけでもない。たとえば、金銭や同衾の権利-義務関係なしの自由形態のミシャー婚（ミスヤール婚）、あるいは金銭のやりとりで一時的な形で締結するムトア婚など、自由な結婚（的恋愛）形態というものもある。それに、そもそもの結婚もイスラームにおいては男女のきちんとした契約とされていて、女性にも権利と自由が保障されている（とみなされている）。まず、①二人の証人を立て、女性の同意のもと成立し、②女性は衣食住を保障され、むやみに暴力・暴言を受けない権利があり（ただし、寝室をともにし、子どもを教育する義務を背負うという契約なのだが）、③男性は、妻の親である後見人に結納金（マハル）を払う、というのが一般的である。[*38] 女性の過失なく男性が離婚を切り出す場合にはマハルは回収できないし、離婚前には後納のマハルを支払う義務を負う。それに、男性が夫としての義務を果たさない場合には女性からも離婚をきりだす権利がある。[*39]

男子禁制のハーレム（ハリーム）では、女性は自由な恰好と活動がある程度保障されているわけで、こうしたことを踏まえると、イスラームにおいても女性の自由意志と権利はある程度は保障されているといえよう（もっとも契約形態が限定され、男女においてそれぞれの義務が固定的かつ非対称的であるので、それが公平・正義に適っているようにはみえないこともあるが）。

## †文化か自由か

しかし、ある程度の自由が認められているとはいえ、その「程度」に対する批判もある。『クルアーン』に「これ預言者よ、あなたの妻、娘たちにも、また信者の女性たちにも、必ず長衣で全身を纏(まと)うよう申し付けなさい。それで認められ易く、悩まされなくて済むであろう」(第三三章五九節)とあるように、イスラーム社会において女性は最低限でも頭髪を隠さねばならないし(これは厳格な超正統派ユダヤ教でも同様)、場合によってはほぼ全身黒ずくめとなる。*40

これは、「家族以外の男性には美しいところを目立つ形でみせてはならない」(『クルアーン』第二四章三一節)という教えであり、たしかに、かつての少数部族であればその内部で痴情のもつれを生じさせないためにこの教えは効果的だったのかもしれないが、現代社会において、自由な服装が法的に許されずに逮捕・拘禁されることの正当性については疑問の声もある。ただし、実際は国によってさまざまであり、厳しい国ばかりというわけではない。マレーシアのように、ヒジャブの色もカラフルでおしゃれだったり、ムスリム女性の社会進出が盛んなところもあるし、ムスリムの女性はむしろそれを被(かぶ)りたくて被っていることもあるので、イスラームの服装規定を「自由の抑圧だ!」と決めつけられるかといえばなかなか難しい問題である。

むしろ、ライシテ（政教分離）の原則を厳格に適用するようなフランスの公立学校ではヒジャブを被りたくても被れないという点で、フランス在住のムスリムの服装の自由が西洋的価値観のもとで抑圧されているという見方もできる（そうした政教分離政策もまたフランス革命以降の共和国的文化ともいえるわけであるが）。

いずれにせよ、ある文化について「野蛮だ」「洗練されていない」と決めつけるのは自国中心主義・自文化中心主義であって、それはあまり望ましくないし、我々だってそのように決めつけられたくはない。たとえば、二〇二〇年時点の日本においても、死刑は存在し、戸籍上の同性婚は原則認められていない（パートナー制度などはできつつあるものの）。こうした点では、死刑廃止国や同性婚制度が充実した国からすると「日本は野蛮で未成熟だ」と思われているかもしれない。先進国といわれるアメリカでも、キリスト教的価値観のもとで中絶禁止を決めようとする（決めた）州があり、「女性の権利を侵害する不自由国家」と言われることもあるだろう。

しかし、その制度やそれを支える考え方に賛同する人たちからすれば異文化（あるいは他国）からの批判は余計なお世話かもしれないし、民主主義的意思決定のもと、保守的な文化的制度が社会集団的に選好されていることに対し、良いも悪いもないと思っているかもしれない。他方で、それが「人権」に関わっているとみなす観点からは、その自由や安全は文化的選好や政治的意思決定の問題ではなく「法（正義）」の問題であるという主張も当然なされうるわけで、「個人的自由に対する文化的制限の歴史性」対「文化に対し独立的な自由を保障する正義」といった対立は今なおお世界のいたるところで残っている。[*41] これは非常に難しい問題である。

しかし、ある文化を批判する場合にも、それに関する寛容的理解が必要なわけで、異なる文化的構造をもった社会やその成員たちに対し「おまえらの教えは不正義で害悪だ」とか「時代遅れの野蛮な文化だ」といわんばかりの態度で接することは、それもまた自らの側を絶対視するかのごとき思想の特権性に浸りながら自らの論理を振りかざしているといえよう。より良い未来を拓くための批判や議論は大切であるが、断絶にもつながりかねない罵詈雑言（ばりぞうごん）や諦めの言葉を投げつけるような「理知的な文化」が、かつて人々を普遍性の名のもとに支配し、逆らうものを異端扱いした、かつてのドグマ的宗教と同じ道をたどってはいないか、我々はその都度立ち止まって考え続けなければならない。

【注】

＊1　一二月二五日のクリスマスとはイエスの誕生日ではなく、誕生を祝う降誕祭のことである（イエスの誕生日は不明）。そしてこの日はキリスト教由来ではなく、古代ローマ帝国にあったミトラ教（太陽神ミトラスを主神とする宗教で、元型はインドのミスラ神を崇める信仰であったとされる）における主祭日であった。この日は冬至とされ、これ以降は日が長くなり、太陽神の力が強まっていくめでたい日ということもあったのだろう。この日はローマ帝国内で多くの人がお祭りをしていたらしいが、キリスト教公認後は教会がそれを利用し、イエスの降誕祭の日としたといわれている。

＊2　その構成もキリスト教の聖書とは異なり、「トーラー（モーセ五書）」「ネヴィイーム（預言書）」「クトゥヴィーム（諸書）」の三部構成となっており、これらの頭文字をとって「タナハTanakh」と呼ぶ。

＊3　生まれてくる男児にはその一族の証として割礼をするという慣習が生まれた。

＊4　しかし、神が祝福を与えるような約束・契約はこれら二つだけというわけではない。たとえば、『創世記』において、ノアが箱舟によって洪水を乗り切ったときに神自身が「二度と洪水によって滅ぼされることがない契約をたてる」と約束している。

＊5　正統派のユダヤ・コミュニティでは現在でも避妊が禁止されている。この教えはその後のキリスト教にも当然継承されており、保守的なカトリックにおいても避妊具の使用や中絶は忌避される傾向にある（地域によっては避妊具販売を禁止するところもあった）。

＊6　ローマにおいては神々の彫像などをつくったりすることでその信仰が示されたが、ユダヤ教や

キリスト教ではそれは偶像崇拝にあたる禁止事項であった。

＊7　キリスト教社会において金貸し業は「欲深い」というイメージであった。シェイクスピアの『ヴェニスの商人』でのユダヤ人金貸しシャイロックの扱いにもそれが表われている。

＊8　しかも、一九一六年には戦争終結後の同地域について、イギリス、フランス、ロシアとの分割統治に関するサイクス・ピコ協定を結んでいたことが後に露呈した。

＊9　ただし、これを単に「日本人は島国根性だから、異教徒に厳しかった」と解釈すべきでもない。というのも、そのころはキリシタン大名の領民が、改宗しなかったために奴隷としてポルトガル人に売られたり、最初のキリシタン大名大村純忠（すみただ）が長崎港をイエズス会に寄進するなど、キリスト教はポルトガル（あるいはスペイン）の手先として日本人を奴隷化しようとしているという懸念が寄せられていたからである。実際、一四五二年六月、ローマ教皇ニコラウス五世はポルトガル国王に対し、異教徒を奴隷にしてもよいという許可を与えている（高瀬弘一郎［二〇一二］『大航海時代の日本――ポルトガル公文書に見る』八木書店、二〇頁）。一五八〇年～一六四〇年にかけてはポルトガルとスペインは同君連合であったため、また、一五九六年のサン＝フェリペ号事件もあって、スペインによる日本征服計画にキリスト教徒（スペイン人やポルトガル人）が加担しているとみなされていた（もっとも、ポルトガル国王セバスティアン一世は一五七一年三月一二日付のリスボン発の勅令にて、日本人を捕虜としたり奴隷として購入することを禁じているのだが）。いずれにせよ、偏見によってある文化圏の性格を決めつけるのは、たとえそれが異文化であろうが自文化であろうがすべきではなく、その背後の事情を踏まえるべきであろう。

＊10　メシアはヘブライ語で「油を注がれた者」の意。「キリスト」はこのメシアがギリシア語に訳

されたもの。

＊11　語源はギリシア語のEuangelion（eu＝よい、angelion＝知らせ）である。

＊12　旧約聖書において、蛇に唆されて知恵の果実を食べたアダムとイヴ、そしてその子孫である人間は、生まれついての罪深さをその身に内在させることになったとされる。

＊13　ユダヤ王国ハスモン朝のヨハネ・ヒルカノス一世によってその神殿は破壊されている（前一二九年）。

＊14　十字架はローマ帝国における反逆者用の処刑道具であった。

＊15　ただし、イエスはそこで「あなたは私を見たので信じたのか。見ないで信ずる者はさいわいである」ともいっており、信じる者こそが救われるという教えをここにみることができる。

＊16　正教会においては各正教会・各主教座の地位は等しく、その点ではローマ・カトリックのスタンスと異なるものである。

＊17　ローマ教皇はその初代とされる十二使徒の一人ペテロ（聖ペテロ）からはじまるとされるが、教皇を最初に名乗ったのはローマ帝国分裂前後のローマ教会のトップであるシリキウスであった。他方、コンスタンティノープル総主教座を擁していた正教会（ギリシア正教会）は、ギリシアで布教して殉教した聖アンデレ（ペテロの兄弟）を初代総主教とみなしている。

＊18　三八一年のコンスタンティノポリス公会議でのニカイア・コンスタンティノポリス信条における（三位一体説を構成する）「聖霊（聖神）」の扱いについて、それは「父（なる神）より出でて」であったのを、九世紀頃にローマ教会がラテン語訳された聖書において、「子よりもまた（*filioque*）」と付け加え、「これこそが正文である」と主張したことに、正教会側が反発した問題。

＊19　ローマ・カトリック教会は、フランク王国のカール大帝の戴冠、そして、東フランクおよびイタリア王であるオットー一世の戴冠を独自の判断で行い、ローマ帝国の正統とされる東ローマ帝国の意向を無視しつつ、(神聖)ローマ帝国の復活を一方的に宣言することで、自らのキリスト教的権威を政治的に確立していった。

＊20　贖宥状とは、罪の償いを軽減し、救済されるためにローマ・カトリックが発行・販売していた証明書のこと。

＊21　語源はギリシア語の「習慣 ethos」であるが、ここではプロテスタンティズム的世界観のもとで定着した禁欲的かつ精力的な労働習慣のもとでの「生活態度」や「倫理的態度」などの総称。

＊22　ただし、プロテスタンティズム以外の国であっても、資本主義が発展した国もあるし、そもそもイングランド国教会は反ローマ・カトリックという意味ではプロテスタンティズムに分類されるが、実質は国王を宗教的トップとする監督制を敷いていた点ではカトリックと類似していたということを鑑みると、ウェーバーの分析が完全に正しいものであるかどうかは議論の余地がある。

＊23　この英国国教会の伝統と教義を共有する諸教会を総括して「アングリカン・チャーチ Anglican Church」と呼ぶ。

＊24　正式には、神の言葉をそのまま綴ったアラビア語で書かれたものが『クルアーン』と呼ばれ、それ以外は「クルアーンを翻訳したもの」「クルアーンを解説したもの」という位置づけとなる。

＊25　ただし、近代キリスト教においてはそうでもなく、寛容論で有名なジョン・ロックは、イスラームやユダヤ教もまた寛容の対象であると主張する(ただし、無神論者とカトリック教徒はその社会的有害性から寛容の対象とはならない、とされる)。

＊26　アリー・イブン・アビー・ターリブは、ムハンマドの従弟であり、ムハンマドの娘ファーティマの夫。ムハンマドの死後、第四代目のカリフである。

＊27　『申命記』第一四章九―一〇節では、海のものについて「ひれと鱗があるものは食べてよいが、そうでないものはいけない」と書かれており、基本的にユダヤ教徒は「たこ」「イカ」「うに」「いくら」は食べてはいけないことになっている。ただし、なかには世俗派と呼ばれ、食事規定に縛られないユダヤ教徒もいて、筆者自身そうしたユダヤ教徒と一緒に寿司屋でそれらを食したこともある。もちろん、そうでない人もいるので、一緒に食事をする際には確認・説明する方が望ましい。

＊28　新約聖書の『マタイによる福音書』第八章でも、イエスが悪霊を豚のなかに追い込んだ話があり、衛生面に問題があった当時のコミュニティでは「豚肉＝不浄のもの」という価値観が根強かったのかもしれない。

＊29　もっとも、後世のキリスト教においては祈禱の仕方や教義内容など、かつてのユダヤ教なみに束縛的になっていったし、ユダヤ教においては、キリスト教の権威的な公会議や教皇というものは存在しない。したがって、どちらが寛容な宗教であるかは議論の余地があるだろう。

＊30　同様の指摘は、エヤル・ヴィンター著、青木創訳［二〇一七］『愛と怒りの行動経済学――賢い人は感情で決める』早川書房、第一一章でも言及されている。

＊31　とはいえ、イスラームを「砂漠の民の宗教」と安易に位置づけることはできない。ムハンマド自身、定住することのない砂漠の遊牧民（ベドウィン）に対しいくぶんかの不信感をもっており、彼自身はむしろ都市型の商人的マインドの持ち主であった節もある。この点については、井筒俊彦［一九九一］『イスラーム文化――その根底にあるもの』岩波文庫、二二五―二三〇頁を参照。

＊32　ズィナーには婚外性的交渉のほか、恋人同士の婚前性的交渉、さらには同性愛や獣姦なども含まれる。つまりは、合法的婚姻関係以外のすべての性的交渉がそこに含まれる。

＊33　これは地元の宗教指導者や武装勢力によるものであったのだが、地方ごとにそうした私刑ともいうべき裁きがイスラーム社会において横行しているようにみえることも事実である。

＊34　これは、『クルアーン』にでてくるいくつかの章での「石打ち」を根拠としている（第一九章四六節、第二六章一一六節、第三六章一八節、第四四章二〇節など）。ただし、これらの箇所は「不倫」「性的快楽を求めた行為」をすべからく石打ちにすべきと明示しているわけではなく、「神を信じないもの」「みんなにとって受け入れないことをしたもの」への制裁的慣習があったことが述べられているにすぎない。もちろん、①石打ちの刑が存在し、②ムハンマドはそれを否定しておらず、③アッラーの教えに従うことでそれから逃れられると示唆している点を踏まえると、アッラーの教えに従わなかった場合には従来どおりの石打ちの刑に該当する、という類推的解釈も可能となる。

＊35　そもそも、『クルアーン』第二四章二節では「姦通した女と男は、それぞれ一〇〇回鞭打て」とされており、その次の第二四章三節では「姦通した男性は同じく姦通した女性か、さもなくば異教徒の女性としか結婚できないし、女性の場合もしかり」という趣旨のことが言われている。これは姦通をした場合でも鞭打ちですませるのみで命までは奪わない、とも読める。

＊36　日本も一九四七年までは姦通罪があり、不倫は刑事罰の対象となっていた（しかも女性が不利益を被る形のものであった）。

＊37　もちろん、女性が経済的弱者に留まりやすい社会構造そのものが不正義であるので、男女同権

的な考えからすれば、表面的なそうした男性側の倫理的義務というものは、不正義な社会構造ゆえの歪んだものということになるのかもしれないが。

＊38　ただし、これが金目当ての親による子どもの売買といった、国連が禁止するところの人身売買（女性が幼い場合には児童売買）に該当するケースを含んでいるのではないか、という懸念がある。

＊39　ただし、その場合には女性はマハルを返金し、さらに待婚期間の扶養料を放棄することが条件となる。それに、そもそも離婚〝宣言〟の権利は男性のみに与えられているので、男性が拒絶すれば離婚は不可能という点では、婚姻制度においては女性は不利な立場ともいえる（この離婚宣言権を行使する男性は、当該女性に対し「あなたと離婚する」と三回宣言することで離婚が成立する）。

＊40　南アジア・東南アジアのヒジャブ（頭髪だけ隠す）、イランのチャードル（顔以外はすべて隠す）、サウジのニカーブ（眼以外はすべて隠す）、アフガニスタンのブルカ（眼以外を隠し、眼の部分にはスリットが入っている）など。

＊41　後述のロールズのリベラリズムと、それに対するサンデルのコミュニタリアニズムとの「リベラル・コミュニタリアン論争」も、こうした問題の根深さを表わしているといえるだろう。

【図版出典】

七二ページ　ⓒ iStockphoto.com/ayazbayev

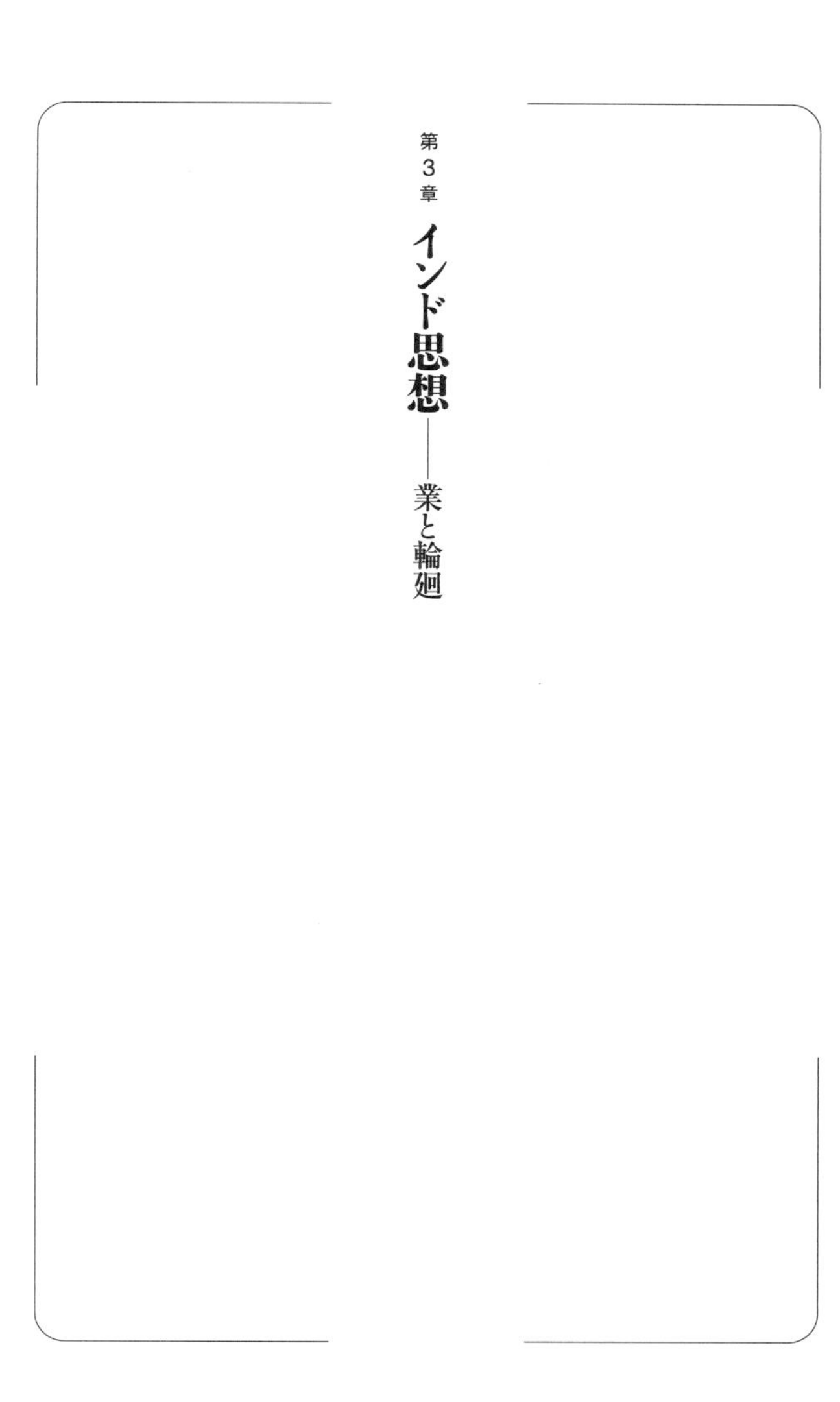

第3章

# インド思想——業と輪廻

本章では、東洋全般に——もちろん日本にも——多大な影響を与えたインド思想についてみてゆく。インド思想の根幹には「業」と「輪廻」があり、異なる宗派であっても、その問題意識が「いかにして、業を背負わず、輪廻のめぐりあわせのなかで苦痛を避けて安楽の境地に至れるか」という点にあることは共通している。もちろん、アプローチにはそれぞれ違いがある。なかでも、仏教のそれは「世界の理（縁起の法）を知ることで苦から逃れられる」といった主知主義的なニュアンスもあり、これは理性のもとでの福徳一致（徳あることが幸福である）を唱える古代ギリシア思想とも共通する点である。それぞれの違いに着目しながら、インド思想をみてゆこう。

## 1　バラモン教

### †インド的価値観の起源

インド思想の発祥は、インダス川流域に栄えたインダス文明だとされるが、それが今な

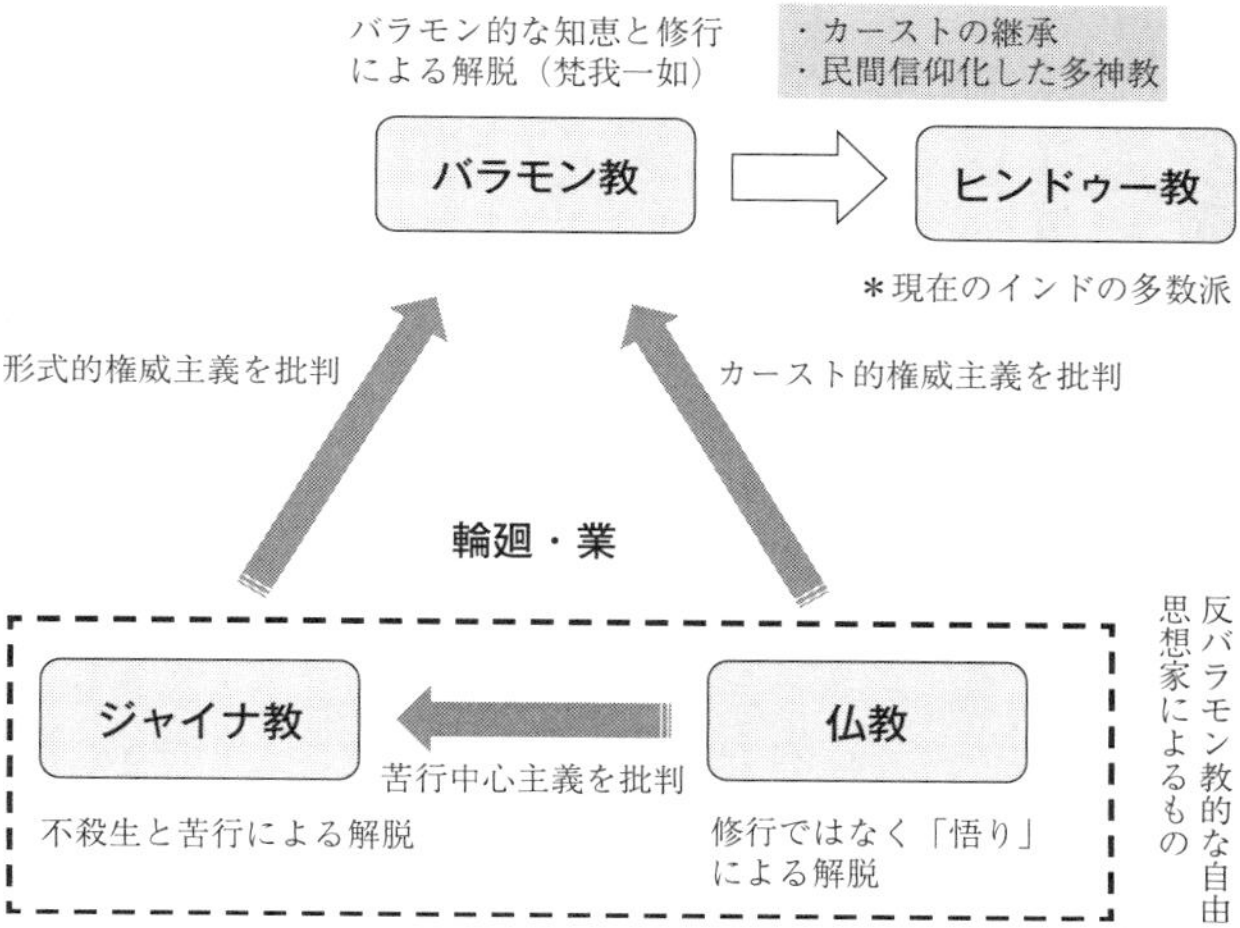

バラモン的な知恵と修行による解脱（梵我一如）

・カースト の継承
・民間信仰化した多神教

バラモン教 → ヒンドゥー教

＊現在のインドの多数派

形式的権威主義を批判

カースト的権威主義を批判

輪廻・業

ジャイナ教 ← 仏教

苦行中心主義を批判

不殺生と苦行による解脱

修行ではなく「悟り」による解脱

反バラモン教的な自由思想家によるもの

お残る「インド文化」の形態として人々に共有され、独自の形で生活を規定しはじめたのは、中央アジア出身のアーリア人が南下し、先住民と対立したり融合したりしたあたりからだったと思われる。初期インド文化の核ともいうべき宗教はバラモン教であるが（成立はおよそ前一五〇〇―前一〇〇〇年頃）、それは宗教文書「ヴェーダ」（「知識」の意）を聖典とするものであった。

ヴェーダには、「マントラ」（祭詞・呪言、日本語では「真言」）や「ブラーフマナ」（祭儀書）、「アーラニヤカ」[*1]（森林書）、そして、思想に関する「ウパニシャッド」（奥義書）などがある。インド哲学としてはウパニシャッドが有名であるが、ヴェーダは総じて、古代ギリシアあるいは日本思想と同様、「自然」を神々として敬い、供犠によって災厄を免れるといった、自然崇拝的な宗教であった。

　インド神話で非常にユニークなのは、宇宙を生み出すために犠牲になる「原人プルシャ」の話である（『リグ・ヴェーダ』の「プルシャの賛歌」）。彼は千の頭と千の眼、そして千の足をもち、その四分の三は不死者であったが、残り四分の一は存在としてこの世界に有限なものとして広がってゆく。

　神々はそれを生贄（いけにえ）に祭祀を実行し、そこから空中に住む獣、森に住む獣、村に住む獣をつくった。馬・牛・ヤギ・羊もそこから生まれた。そして切り刻まれたその口がバラモンとなり、その両腕からは王族が、両腿からは庶民が、さらに、その両足からは隷民が生まれたとされる。また、その思考からは月が、眼からは太陽が、口からは闘神インドラ神と火神アグニが生まれた。

　そのほか、特に重要視される神として宇宙の秩序と理（天則、リタ）を守るヴァルナ神がいるが、それは神々の上に君臨し、罪を暴いて罰を与える役割を背負う司法神である。ただ、祭儀主義のもと僧侶の特権性を誇示するようになったバラモン教においては、祈禱・祭式の神秘力を象徴するブラフマン神がより重視されるようになる。やがて、ブラフマンは創造神として原人プルシャ的な位置づけがなされ、宇宙そのものに広がっているような「力」というイメージへと変化してゆく。

後期ヴェーダ時代（前一〇〇〇—前六〇〇年）、定住的な農耕社会が確立し、アーリア人社会が拡大・強化されるなか、バラモンは知識を独占するものとして祭儀を司るようになる。その支配構造のもとで、「ブラーフマナ」をもってブラフマンの力を行使するバラモン（僧侶）を頂点とし、その次にクシャトリヤ（戦士・王族）、ヴァイシャ（庶民）というように身分階層が分かれた。そして、当初はアーリア人でないものがシュードラ（奴隷）としてアーリア人への奉仕を強制されるという社会階層制度が定着した。これが四姓制度としての**カースト**である。こうしたバラモン教の教えや制度は、後にインド各地の民間信仰と結びつき、多様な神々をそれぞれの仕方で崇めるヒンドゥー教としてインド全域に根付くことになる。

### †業と輪廻

インド思想のベースとなっているものは、その後の東洋思想の世界観にも大きな影響を与えた業（カルマ）と輪廻（サンサーラ）に支えられた運命論である。*2 人は生きている限り、自分がしたことのツケを払わねばならない。これはまあ、どの世界でもたいして変わらない。しかし、今現在の自分に何も非がないにもかかわらずひどい目にあっているとして、その現在は過去、そして前世のツケを払っている状態であるので、結局のところそれは「自分のせい（おかげ）」であり、受け入れなければならない運命なのである。この廻る理のなか、前世も現世も来世も常に、業と苦しみを背負い続けなければならない。つまり、生あるものの苦しみは、逃れようもない運命ということである。

こうした世界の理を理解していないばかりに人は焦り、どうしようもないことをどうにかできるとムダに期待をし、欲望に負けて無理にでもその理を捻じ曲げようとして、その結果としてさらに深い業を背負うことになる。ここに苦しみの源泉がある。このようにして苦しむ人は、心を満たそうと現世で躍起になり、そして結果として来世でも苦しむことになるが、そのことを理解できないままに無駄なことを繰り返し、世界や神々を呪うようになる。

このような人は、輪廻のなかでいくら生まれ変わろうとも、そのアートマン（真なる自我）から業を消し去ることなどできない。なぜなら、心の本性である虚空を見失っているからである。そうならないためには、アートマンのうちにあるその本質をみつめ、そこにある世界の普遍的な理（梵）を悟ることで世界を理解し、業に苦しみ続ける輪廻から脱出すべき、ということになる（**梵我一如**による解脱）。「ウパニシャッド」にある賢者シャーンディルヤの語り口を以下紹介しよう。

「ブラフマンは実にこの一切〔宇宙〕である。心の平静に達した者は、それをジャラーン〔神秘的なものの名称〕として尊崇せよ……意から成り、生気を肉身とし、光輝を姿にもち、真実を思惟し、虚空を本性とし、一切の行為をなし、一切の欲望をもち、一切の香を具え、一切の味をもち、この一切を包括し、沈黙して、煩わされることのないもの……それは心臓の内にあるわがアートマンである。しかし、また心臓内にあるわがアートマンは、大地よりも大であり、虚空よりも大であり、天よりも大であり、これらの諸世界よりも大である……それは心臓の内にあるわがアートマンである。それはブラフマンである。この世を去った後に、それを合一したいという〔意向のある〕人は、その点について疑念はない」と、シャーンディルヤは言う*3（『チャーンドーグヤ＝ウパニシャッド』第三章第一四節）。

これはバラモン教の（後期の）聖典「ウパニシャッド」に示された内観的思考法であるが、ここには、反バラモン的スタンスとして登場するジャイナ教や仏教とも共通する考え方が含まれている。つまり、単に祈りや祭儀によって神とアクセスしようとするのではなく、自身と世界とを正しく知るために、まずは自身の認識を変化させようとする哲学が

「ウパニシャッド」において生まれたのである。

## 2 ジャイナ教――修行の思想

### †修行とは何か

インド思想には、日常的に我々が使用するような「修行が足りない！」「修行を重ねて心身を鍛錬せよ」という言葉に含まれるトレーニング観の源泉がある。日本古来の修験道は、修行による呪力の獲得、もしくは自然との一体化による即身成仏（その肉体のまま悟りを開くこと）を目的としているが、修行とは総じて、従来の未熟さを乗り越え理想の境地に至る（近づく）ことを目的としたものである。精神的な集中→安定→平静（不動心）のプロセスを経るのが仏教的な「行」の修め方であるとすれば、肉体的欲求を抑圧して精神を別ステージへと至らしめるのがジャイナ教の修行である。

先に述べたように、そもそも「ウパニシャッド」では内観的思考法が説かれていたのだが、当時の特権階級であったバラモンの多くは形式主義、そして権威主義に陥っていた。これに対し、前六世紀もしくは前五世紀にクシャトリヤ階級に生まれたマハーヴィーラ

ジャイナ教の寺院都市シャトルンジャヤ

（ヴァルダマーナ）は、修行の旅にでてバラモンのそれとは異なる悟りを開くことになる（この点は仏陀と類似しており、彼らは自由思想家と呼ばれた）。

彼は、正しい在り方へと至るためには実践こそが必要と考え、世俗にかかわるあらゆるものを捨て、裸になり、生き物を傷つけないよう配慮し、瞑想をすることで真理を悟るべきと主張した。そうして「ジナ（勝利者）」となったマハーヴィーラは、バラモンによる祭祀やその特権的在り方を否定し、欲求や弱さに流されない「精神の自由」を説いた。ここには、「業」についての独自の解釈とそれへの対応策がみてとれる。

輪廻において人々が背負って苦しむ業は、他人を傷つけたり呪ったり、知らない間に生き物を傷つけたりすることでついた「汚れ」のようなものであり、そうした前世からの汚れを現世での苦行によって洗い流し、今後汚れる可能性を遮断すればそこで輪廻は終わり解脱へと到達できる、とジャイナ教では考えられる。

この世界の法則として物質は下に落ちるので、物質的・肉欲的快楽に流された「業の身体」もまた、そのままではその霊魂を引きずる形で落下するかのように輪廻の輪に囚われることになる。ゆえに、欲望に打ち勝ち、業を拭い去ることでその魂は輪廻を脱出できる。そこでは「殺すべからず（アヒンサー）」「嘘をつくべからず（真実を語るべし）」「盗むべからず」「淫らなことをするべからず」「所有すべからず」の五大誓が求められる。

### †身体的誘惑を断ち切る

ジャイナ教は基本的に反バラモン教を唱える自由思想家の一派であるが、そこでの修行の発想自体は、業や輪廻のように、すでにバラモン教にも見受けられる。バラモン教においては、特別な知識をもったバラモンはブラフマン（梵）の力に最も近づける者であり、彼らは独自のやり方によって超人になれると考えていた。それは、苦行によって熱（タパス）を生じさせ、その熱が通常にはない「力」となって不可思議な現象を起こすという超人思想・神仙思想である。

そもそも、ウパニシャッドには「ヨガ」という瞑想思想があり、それは全身のチャクラ

（円状の器官）の流れを繋ぎ合わせ、精神を統一して宇宙と一体になるというものである。ヨガは現代でも（エクササイズ的観点からも）健康法に取り入れられたりもしているが、結局のところ、自然のままでいると悪い状態へと陥ってしまうところを、そのような特殊な「行」によって心身を整えてより良い状態へと至らしめるというものである。つまり、インド思想全般において、解脱のためのなんらかの「行」というものがそれぞれにあるといってもよいだろう。

もっとも、ジャイナ教からすれば、その際に「超人になろう」「健康になろう」などという欲に囚われていれば何もならないわけだが、そうした修養のための「行」、すなわち修行というものは身体的誘惑を断ち切るという意味では有用であった。そこでジャイナ教徒は、過酷な修行（断食など）などによって解脱に至ろうとしたし、断食による死が推奨されることさえあった。仏陀が生まれるころにはそれがいわばブームにもなっていたようである（仏陀も挑戦したとされるので）。

日本の仏教文化に慣れ親しんだ我々からすると、修行すれば悟りを開けるといって滝に打たれたり（修験道の滝行）、燃え上がる炎の前に座ってひたすら祈りを捧げたりもするのだから（密教の護摩行）、仏教もそうした苦行主義と思われるかもしれない。しかし、そもそもの仏教はそのように何かを得るための苦行というものを否定し、認識そのものの内側へと至ることをよしとする思想でもある。その違いに注意すべきであろう。

## 3 仏教――苦行の否定と認識の転換

### †苦行では解脱できない

さて、超人を目指すバラモンたち、そして業を取り除くために苦行をするジャイナ教徒たちは、たゆまぬ勉学と、空腹や痛みに耐える修行によって、解脱へ至ろうとしていた。しかし、もしそこで、「自分たちは他の人たちとは違うんだ！」というエリート意識や「過酷な行を修めた自分こそが梵我一如に近いエライ人間なんだ！」という強いプライドがあるとすれば、そこには解脱の道があるのだろうか？

そもそも、目的ありきの修行の背後には、その目的を設定しているところの欲求が隠されているのではないだろうか。「ほめられたい」「かっこよくなりたい」「大会でトップになりたい」「有名になりたい」「誰もやっていないことを成し遂げたい」など、たとえそれが崇高な目的であっても、そこには自分の欲求を満たすことに固執する「我執」があるように思われる。たとえ目的達成に伴う一時の満足感（快楽）を得られても、それは本質的な救いとはなりはしない。

成功したアスリートはさらなる成功を求める。しかし、老いや衰えは必ずやってくるし、まじめにやっていても理不尽にも災難にあったり病気にかかることさえある。そんなとき、一生懸命頑張った人ほど「なんで自分がこんな目に！」と悔しがりもするだろう。これはアスリートだけでなく、経営の成功者、大臣まで成り上がった政治家やテレビにでている芸能人や評論家などもそうであり、結局のところ、彼らの立派な努力体験や成功体験と、その心が救われることとは別の話なのである。

解脱についても同様である。いくら過酷な修行を乗り切って「ものすごい修行僧」や「勝利者」になったとしても、そこで終わりではなく、欲求はさらに湧いてきて、それを抑えるための修行にさらに明け暮れ続け、結局は業から逃れることはできない。この点に注目したのが、前五世紀頃に生まれた仏教の開祖であるゴータマ・シッダールタ（シッダッタ）であった。

## †中道の思想

彼もまたマハーヴィーラと同様にクシャトリヤ階級の生まれで、修行の旅にでて悟りを開くという生き方をした。当時のジャイナ教徒と同様に厳しい修行に明け暮れ、死の淵をさまよいもするが、どうしても解脱に至ることができずに、後に菩提樹の下でこの世界の真理に気づき「仏陀」（悟れる者）となった。*4

彼の思想は、快楽主義と苦行主義との間、すなわち、両極に振れて道を外れることをよしとしない「中道」の思想である。

そもそも人がつい道から外れてしまうのは（外道）、煩悩ゆえに正しく物事が見えていないからであり（「無明」という無知の状態）、無理な「行」を実践し、そして自身が優れているという自信過剰（とそこからくる差別的意識）のもと、いろんなことに執着しながら苦しみ続ける……というプロセスがそこにある。煩悩を捨ててこの世界を曇りのない眼でよくみてみると、そこには因果の道理・法則というものが存在し（**縁起の法**）、どんなに優れた人が修行をしようとも、それを超越した存在となることはできない。

「この世界に価値あるものとして存在するのは自分一人だ」といって、若さや権力を狂ったように求める快楽主義、そして、ひたすら修行をすることで欲望に打ち克って「真なる自我」として解脱しようとするとする苦行主義、これらはともに、縁起の法を理解していないがゆえに無駄な苦しみを背負っているといえる。つまり、絶対的価値をもった「真なる自我」など存在しないにもかかわらず、存在するかのごとくそれに固執することに苦しみの源泉があるのだ。

すべては繋がりのなかで変化してゆく。その変化のなか、バラモン教のような「梵と一体化できるような真なる自我（自己）」など存在しえない（**諸法無我**）。それに固執するのはまさに法外な望みを抱いているともいえる。どんな行いを重ねようがどんな生き方をしようが、我々を含んだこの世界そのものは移り変わりゆくものである（**諸行無常**）。「どう生きるべきか？」という問いが意味をもちうるのは、ここまでをきちんと理解してからの話である。

まず、そこで悟るべきは四聖諦（四つの聖なる真理）である。それは苦諦・集諦・滅諦・道諦であるが、一番目は「人生は思いどおりにならない苦であること」、二番目は「苦は欲望を引き起こす煩悩であること」、三番目は「煩悩を滅した状態が涅槃であること」、そして最後に、「涅槃に至るに正しき修行の道があること」というものである。その最後の実践をもっと細かくいえば、**八正道**というもので、それは以下の通りである。

**八正道**

正見（正しいものの見方）　正命（正しく暮らす）
正思惟（正しい思索）　正精進（正しい努力）
正語（正しい言語活動）　正念（正しい理想）

正業（正しく生きる）　　　正定（正しい精神統一）

これによって、煩悩の火を消した状態である「ニルヴァーナ（涅槃）」に至ることこそが解脱への道であると仏教は説く（**涅槃寂静**）。こうした教えは、バラモン教のような社会階層制度を否定すると同時に、苦痛に耐えられる人こそを聖者とみなすジャイナ教のような苦行主義を否定している点から、多くの世俗の人々に受け入れられるものであった。そして、それは後の上座部仏教や大乗仏教へと発展し、アジア世界へと広がってゆくことになる。

## 4　ヒンドゥー教

**†インドに根付いた世界観**

しかし、仏教発祥のインドにおいては、仏教よりもヒンドゥー教の方が根付いていった。ヒンドゥー教とは、バラモン教的世界観がそれぞれの土着の神々や民間信仰と結びつく形で広まったものである。世俗主義的で平等主義志向であった仏教を押しのけてヒンドゥー教がインド国内へ根付いていったことには、いくつかの理由が考えられる。

まず一つは、仏教に対する保護王朝の滅亡である。マウリヤ朝のアショカ王のときには仏教が手厚く保護されたが、その後王朝は分裂し、インド自体が混乱期に入った。もともとの文化的土壌として多神教と身分階層制が根付きつつ、統一的な宗教的システムを欠いていたインドでは、それぞれの人が好きな神々を祀るという緩い形での多神教の在り方が各地方において定着していった。

そしてもう一つはイスラーム勢力の侵攻である。一一世紀頃には北インドにイスラーム勢力が侵攻し、数多くの仏教寺院が破壊された。南インドでは仏教徒とヒンドゥー教徒が多く暮らしていたが、次第に両者は融合していったようである。寺院や宗教的指導者なしでも済むような、緩い信仰体系をとっていたヒンドゥー教が生き残りやすかったこともあろう。また、仏教は経典注釈などの理論的性格が強かったのに対し、ヒンドゥー教は寓話や神話といった物語的側面が強く、識字率の低かった時代に人々に受容されやすかったということもあるだろう。このような時代背景のもと、この世界の不条理を輪廻に定められた運命と位置づけ、古来のインドの世界観・神話観とその社会制度を継承し続けたヒンドゥー教が結果的に生き残った。

一六世紀にはイスラームのムガール帝国が支配しはじめたが、三代皇帝アクバルのように地元の宗教や文化を尊重することもあり、ヒンドゥー教が廃れることはなかった（その後の強硬なイスラーム政策によって弾圧されたりもしたのであるが）。

## †ヒンドゥー教とカースト制

ヒンドゥー教においても、バラモン教から引き継いだヴェーダを聖典とし、さまざまな神を崇め、神話を大事にするが、なかでもブラフマー、ヴィシュヌ、シヴァは三大神ともいうべきものである。ブラフマーはこの宇宙において存在を与える力をもつもの（創造）、ヴィシュヌは宇宙の維持と調和を、シヴァは破壊を司るもので、

ガンジス川での沐浴（バラナシ）

これら三神は宇宙の原理の現れ方をともに表わしている（三神一体、トリムルティ）。これは輪廻的な世界観の現れともいえるだろう。しかし、そこには共通の教義や実践などはなく、幅広い信仰と生活様式を包摂したものこそがヒンドゥー教ともいえるので、定義するのはなかなか難しい。

もちろん、その他の諸宗教と共通している概念もある。たとえば、業（カルマ）につい

ていえば、かつてのバラモン教やジャイナ教と同様に、修行によってそれを落とすという発想が残っている。有名なものは「サドゥー」であり、これはヨガの実践者や放浪する修行者の総称である。瞑想を行う者もいれば、極端な禁欲や苦行を自らに課す者もいる（数十年も片手を高く挙げ続ける、柱の上で生活するなど）。ただし誰もがいつもそのような苦行をするわけではなく、沐浴によって罪を浄めてカルマを落とすなどが一般的であろう（有名なのはガンジス川での沐浴）。

もっとも、この世の不条理に対し、それを輪廻と業のもとで受け入れるという保守的姿勢は古代バラモン教から受け継いだもので、かつての身分制（ヴァルナ）[5]をさらに細分化し、それらに対応した職業（ジャーティ）[6]の割り当てをよしとするカースト制度は、いまなおインド社会に深く根付いている。カースト制度は現在法律によって禁止されてはいるが、その影響力は決して小さくない。

カースト制度はかつてはバラモン教徒の規範『マヌ法典』にも規定されており、それはイギリス統治下時代の司法裁判の法源ともなっていた。その名残が残る地方では、今なお異なるカースト同士で結婚できずに駆け落ちしたり、それが見つかって娘の恋人が娘の親に殺害されるなどの事件も起こっている。職業選択の自由も制限されており、就きたい職につけないケースも多い。

とりわけ、カーストの外側にいる「アチュート」[*7]もしくは「ダリット」は悲惨な境遇にあり、かつては他のヴァルナとの接触が禁じられ、寺院などに入れなかったりした。現代においても、村の共用施設の利用が禁じられたり、立場を思い知らせるという名目で上位カーストから危害を加えられることすらある（二〇一六年だけでも、彼らに対する犯罪行為は四万件を超える）。直接的な暴力はなくとも、他の職業に就く自由が実質的に保障されておらず、世襲的に汚物処理や食肉処理[*8]に従事するよう社会的プレッシャーを受けるなど、構造的差別を常に被っている。労働環境のみならず、居住環境や食事状況も悲惨であり、人道的観点からもそうした境遇は改められるべき、と言われている。

## †身分制はインド特有の文化か?

そうしたカーストを正当化する立場からすれば「それぞれは前世の業ゆえにそれぞれのヴァルナに属するわけである。現世ではそれに従いつつ徳を積んで来世に生まれ変わればよい」ということになる[*9]。しかし、社会制度がそのままである限り、全員がどれほど徳を積もうが、生まれ変われば誰かがその悲惨な椅子に座らざるを得ない過酷な椅子取りゲームに強制参加させられているようなものである。運が悪い人が悲惨な椅子に座らなければならないようなゲーム構造そのものを変える必要がある。

ただし、そうした身分制意識をインド人の気質や本性に起因するもののように思い込むべきではない。そもそもこの社会制度は前一五〇〇年頃にアーリア人が進出してきたときに先住民を征服するために用いられたものであり、その後の王朝も国内の治安維持のためにこれを追認してきたという歴史的経緯がある（もちろん、それは不合理なことであるし、最下層民が一番わりをくっているわけであるが）。

さらに、こうしたやり方がインド特有のものではないことは世界史をみれば一目瞭然である。征服民・支配民がその支配体制を保持しようと身分階層制度を導入するのは常套手段であり、スペインやポルトガルのようなキリスト教国家も大航海時代には同様に「蛮族を統治すべし」という名目で、植民地を「キリスト教徒／異教徒」というヒエラルキー構造のもとで支配した。

二〇世紀前半のベルギーによるルワンダ統治政策では、現地の住民を「ツチ族」と「フツ族」とに階層的に区分し、前者にはフランス語をはじめとする高等教育を授けて統治側に組み込み、後者をその統治を受ける被支配階層として固定することで、現地の効率的な統治が試みられた（その結果生じたのが、一九九四年のルワンダ虐殺である。このときには、抑え込まれていたフツ側がツチ族を虐殺したのみならず、フツ族穏健派すらもその巻き添えとなった）。

つまり、他の国、他の文化でもこうしたことは起きているのであって、身分階層制度をインド起源の文化的元型とみなすべきかどうかは議論の余地がある。また、次第に状況は変わりつつもある。ダリット出身のB・R・アンベードカルは一九四七年インド独立後の初代ネルー内閣の法相となり、一九五〇年にはカースト制度を禁止する新憲法制定に貢献した。独立五〇周年の一九九七年にはやはりダリット出身のK・R・ナラーヤンが大統領に選ばれるなど、インドもまた変わりつつあるのだ。

とにもかくにも、これまで述べたようなインド思想の概念や言葉はアジアに幅広く伝わってゆき、我々日本人の思考や価値観にも影響を与えている。「生まれ変わってもまた一緒になろうね」「業が深い」「縁起が悪い」などの言葉遣いにもそれはうかがえる。それに日本が仏教国になったのち、ヒンドゥー教の神々もまた日本に伝えられて一部はこちらの神となった（大黒天、毘沙門天、弁財天など）。日本で暮らす我々の価値観を理解するにあたり、インド思想は欠かすことのできない構成要素だともいえるだろう。

【注】

＊1　人里離れた森林の中での秘儀や祭式の説明集。ブラーフマナとウパニシャッドの中間的なもの

で、哲学的思弁も含まれる。

＊2　行為や在り方が「原因」として、その先の時点の苦楽という「結果」を導く働き、あるいは、その働きのもとで生きる宿命のこと。

＊3　同書ではまたこのようにも言われている。「このブラフマンといわれるものは、実に人間の外にある虚空である。実に人間の外にある虚空こそ、人間の内部にある、この虚空である。実に人間の内部にある虚空こそ、心臓の内部にある、この虚空である。それは充満しているものであり、不変のものである。このように知る者は、満ち足りて変わることのない幸福を得る」（第三章第一二節七―八）。なお、ここでの訳は、岩本裕編訳［二〇一三］『原典訳 ウパニシャッド』筑摩書房（ちくま学芸文庫）を参考としている。

＊4　その際に、悪魔の誘惑などがあった点では、イエスの荒野での修行と共通するものがある。

＊5　「ヴァルナ」とは、サンスクリット語で「色」を意味する。

＊6　「ジャーティ」とは、サンスクリット語で「生まれを同じくする集団」を意味する。

＊7　「アチュート」とはヒンディー語で不可触賤民という侮蔑的意味であり、「ダリット」というのはサンスクリット語で「砕かれた・引き裂かれたもの（抑圧され苦しめられる者）」という意味である。社会的公正や人権保障を求める文脈では後者が使用される。

＊8　かつては汚物処理をする人は「プックサ」、食肉処理業者は「チャンダーラ」と呼ばれた。

＊9　『チャーンドーグヤ＝ウパニシャッド』では「この世において優れた行状の人々は優れた胎に、すなわちバラモンの胎に、あるいはクシャトリヤの胎に、あるいはヴァイシャの胎に入ると期待される。しかしこの世において汚らわしい行状の人々は、汚らわしい胎に、すなわち犬の胎あるいは

豚の胎に、あるいはチャンダーラの胎に入ると予想される。次に、これらの下等の動物たちは、前記の〔苦行もしくは布施をした後に火葬されてこの世に戻るという〕両道のいずれをも通ることなく、繰り返しこの世に生まれてくる。これは、創造主の「生まれよ」とか「死ね」という命令に従う第三の境遇である」（第五章第一〇節七―八）、とある。

【図版出典】

一〇三ページ　ⓒ iStockphoto.com/mazzzur

一一二ページ　ⓒ iStockphoto.com/mazzzur

# 第4章
# 中国思想——「天」と「道」の思想

インド思想と同様、中国思想もまた日本文化と切っても切れない関係にある。政治的には明治以降の日本はいち早くアジアを離れて西洋列強サイドに立ち、政治・法制度もそれに合わせた西洋モデルを導入することで産業発展・経済発展を果たした。しかし、古代から関わりのあった中国伝来のその思想は日本人の世界観・価値観に多大な影響を及ぼしており、もはやその由来を忘れた現代人の物事の考え方にもその痕跡をみることができる。

とはいえ、それがどのような意味をもつのかは、中国の歴史・思想史の流れを踏まえることなくして理解困難であり、うわべだけで理解しようとすると、中国文化そのものを偏見の目でみることにも繋がりかねない。細かい論点は後々述べるとして、まずは基本的な大枠をおさえておこう。

## 1 多種多様で豊かな思想文化

### †中国思想の特徴

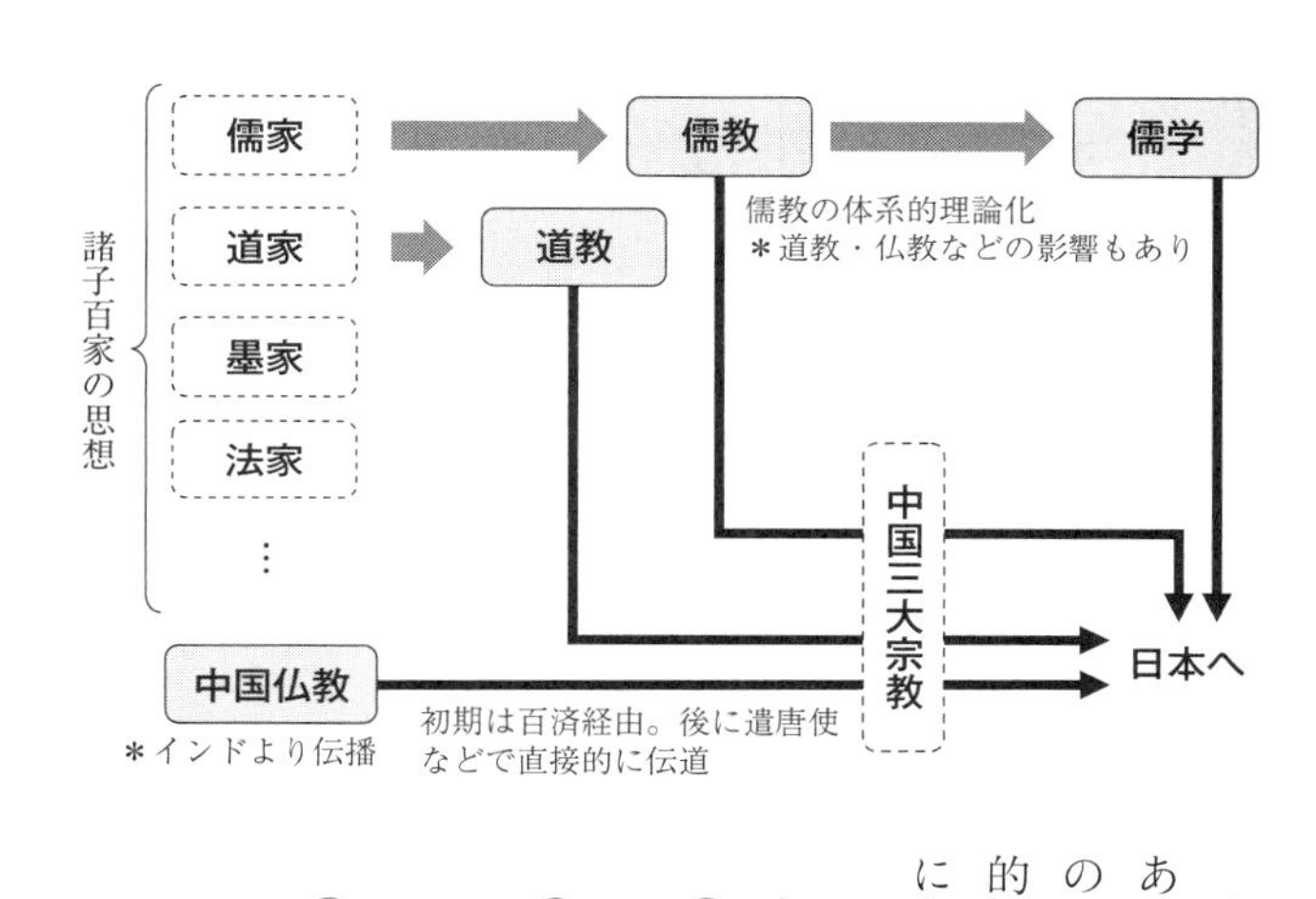


中国思想といっても国家統治と結びついたものもあれば、民間信仰と結びついた草の根レベルもあるので共通項でくくるのは難しい。だが、あえて歴史的観点から大ざっぱにまとめるとすれば以下のようになるだろう。

中国思想の主な特徴

①「天」の思想……すべては天の命令で動く（非人格的実体としての「天」）

②「道」の思想……人や物がそうあるべき理を備えた「道」があり、それを理解し、それに沿って生きるべき、という考え方

③中華思想……世界の中心的文明圏（中華）において、天命を授かった君主（天子）が、天下（現実世界）を治める

これらの思想の痕跡は日本思想にもみられる。たとえば「お天道さまがみてるよ」などという言い回しは中世日本の天道思想由来の表現であるが、それは、あるべき道を外れるようなことをすると、罰を与えられたり災厄におそわれる、という考え方を示している。もっとも日本の場合は、日本古来の神様・仏様が「天」から監視しているというもので、中国思想の「天」とはニュアンスが異なるものであるが、いずれにせよ、「天」や「道」という中国由来の概念は、日本人の倫理観に深く食い込んでいるともいえる。

また、中国の漢字文化の影響を早くから受けてきた日本においては、中国目線の表現も使用されており、たとえば、東南アジアやマカオを拠点としたスペイン・ポルトガル人との貿易が「南蛮貿易」「南蛮渡来」と呼ばれるのも、かつて中国が中華以外の蛮族が暮らす土地として、「東夷」「西戎」「北狄」「南蛮」と呼んでいたことに由来する（いわゆる華夷思想）。

## †諸子百家の登場

さて、「天」と「道」の思想が生じてきた背景には、群雄割拠の春秋戦国時代というものがあった。各国はときに対立しときに同盟を結ぶといった絶え間ない緊張状態にあり、君主は国内の治安維持や防衛、領土拡張を目指す一方、家臣は立身出世に固執し、あわよくば下克上すら成し遂げようとする者もいて、国内外は混乱を極めていた。

　そうしたなか、それぞれのニーズに合うようないろんな思想を生み出したりそれを売り込む集団が現れた。それが諸子百家である。戦術や政治を説く兵家や、非戦と防御方法に特化した墨家、自然科学観に基づく占いや医学を専門とした陰陽家[*1]、後に統一を果たした秦に重宝された法家、などいろいろあったが、この時代からその思想を末永く中国全土に定着させていったのが儒家であった。

## 2　儒教（儒家思想）

### †孔子の思想

　儒教については、前六世紀に現れた魯の国の孔子がその祖と言われる。その思想は、国家の、そして天下（世界）の安定にあるが、それぞれが思うやり方ではなく、「天」の意志に沿った、人の道を歩むことこそがその方法である、と主張する。天の意志をきちんと汲み取った統治者である「天子」が国を治めることが、天下泰平の世には不可欠であるが、そうした天子は徳ある君子でなくてはならず、その君子のもとで周囲の人々もまた、きち

北京にある孔廟（こうびょう）

んと人の道を歩んでいなければならない。逆に言えば、人々がその道を外れているからこそ、世の中は乱れ、戦乱の世が続いて人々が苦しんでいるともいえる（天下無道）。これは人々の自業自得ともいえよう。ゆえに、社会が良くなるためには、人々は「**仁**」と「**礼**」に立ち返らねばならない。

仁とは心の働きであり思いやりや仁愛のことであり、礼とは形式的な作法である。これらはどちらが欠けてもいけない。仁の実践こそが礼を重んじることであって、単に礼だけで心がこもっていないのがいけないのはもちろん、「自分には思いやりがある」というのであればきちんと真心を込めて相手を敬うよう、礼儀作法をもってそれを示さねばならない。仁という在り方には欲求や誘惑に対する自己抑制が含まれており、実践する礼があってはじめて仁は具現化できるのである（「己に克（か）ちて礼に復（かえ）るを仁と為す［克己復礼］」、『論語』顔淵編）。

ではどうやってそれが統治と結びつくのか。孔子がいうには、窮屈な政令と厳しい刑罰による統治では、人々は違法行為を怖れはするがそれに対する罪悪感を覚えることはない。

しかし、他の星を従える北極星のように徳によって人々を魅了するように導き、そこでの礼によって行動を導くのであれば、その行為への罪悪感を覚え、自己修養の素地ができてくる（『論語』為政より）。そこから、君主は権威者として武力を振りかざす暴君であってはならず、統治者としての徳をもち礼を尽くすべき、と孔子は説く。つまり、民衆を治める統治者であればなおさら、修養のもと自分を律しなければならないということである（修己治人）。とすると、この儒教というものは君主が学ぶべき一種の帝王学・政治学ともいえる。

**†恩と忠義**

しかし、仁と礼には、君主には君主の、そして個々人には個々人のあるべき姿が示されている。それらが繋がりながら国全体を良くするのである。たとえば、親子や兄弟といった間のあるべき心のもちようを「孝悌（こうてい）」といって、子は親に尽くし、弟は年長者の兄に従うべきとされる。恩を忘れず、目上の人に素直に従うことで「家」という最小の統治集団はうまく機能する。これまで積み重なった年長者のノウハウが下の代に伝えられるのはよいことだし、その恩をもって子が親を尊敬し大事にする習慣・ルールは、その集団の成人が子どもを産もうとするインセンティヴを生み出す（誰だって歳を取って弱くなったときには大事にしてもらいたいので)。

そうしたルールや価値観をもつ家族とそうでない家族とを比べると前者が発展し大きくなるのは当然であり、それらが互いに勢力争いをしている状況であればなおさら有利に働くであろう。同様のアナロジーは、「家族」だけではなく「国」という集団でも成立する。君主が統治の技法を熟知してきちんと報奨や恩恵を与え、それに家臣・臣民は恩を感じて忠義と礼を尽くす国とそうでない国とでは、当然前者が発展し、結果として戦乱の世を生き抜くことができる。ゆえに、縦社会的な統治においては仁と礼とは不可欠であると孔子は考える。

### †孟子の思想

その後の孟子は孔子の主張をさらに発展させ、**易姓革命**という考え方を提唱した。それは、統治者が徳をなくして暴君となれば、天命のもとでその王朝の統治者はすげ替えられ、新たな統治者が登場する、という運命論的世界観である(天命が革められ、統治者の姓が易わるということ)。これは「君主は徳をもった君子たるべきだ」という教訓でもあるのだが、別の見方もできることには注意が必要である。というのも、下克上が成功すればそれは結果的に「天命だった」ということで正当化される、という結果論的正当化の側面をもっているからである。

これは、自身が天下の統治者たらんとする武将が「これこそが天命である」と主張して兵を蜂起させるインセンティヴともなるわけで、かえって戦乱の世を長引かせることにもなりかねない。すると、忠義の徳とこの下克上の正当化とをいかにその理論内部において調和させうるのか。これが、孟子以降の儒教・儒学の学問的課題となったともいえる（とはいえ、君主が徳ある限りは反乱を起こすべきではないし、徳ある君主を裏切って玉座についたとしてもやはり天命のもとで引きずり降ろされる運命にあるわけで、忠義と易姓革命の概念が完全に矛盾するわけではない）。

注意すべきは、孟子としては、むやみやたらと天命を振りかざして玉座を簒奪しようとする人間性は否定されるべきであって、だからこそ彼は孔子以上に多種多様な徳目を挙げ、それらを完備することを推奨している点である。孟子曰く、人の本性はそもそも「善」であり四つの感情「惻隠（困窮する他者をみていたたまれなくなる心）」「羞悪（不正や悪を憎み恥を知る心）」「辞譲（譲ってへりくだる心）」「是非（何が正しく何が間違いかを判断する心）」をもっている。いろいろなことを経験しきちんと学ぶなかでこの心を伸ばせば、四徳（仁・義・礼・智）という状態に至ることができる。この四徳を修めた王道をゆく君主こそが天命のもと天子になるのであって、孟子は決して覇権争いや下克上を推奨していたわけではない。そして、その後の儒家たちはこの四徳に「信（真実を告げ約束を守る）」を加えて五徳（五常）「仁・義・礼・智・信」とした。

### †荀子の思想

そのあとの荀子（じゅんし）は、儒教の流れを継承しつつも、孔子・孟子とは異なる角度から「道」を論じる。彼は、人の本性を「悪」として位置づけ、だからこそ人々は学問と作法を学び、その悪しき本性を矯正することで善へと進み、それが社会のため、ひいてはその人自身のためになる、と考えた。

そのように矯正された状態とは、統治者である君主が定めたルールに（統治者も人民も）従うというものであり、そのなかで人は「礼」に則って動くようになる。礼が乱れると行動も乱れ、心の制約を失い、本来の悪性がでてしまう。ゆえに、個々人は礼に従うべきだし、礼に従う人々を統治する君主もまた礼を熟知し、礼を重んじる人々や家臣にはそれに応じた恩恵を、そうでない人にはそれに応じた処罰をくだすことで、規律のとれた集団、国家、そして天下を完成させるべきとされる。つまり、礼とは、単なる作法ではなく、社会集団がうまく機能するルールややり方を定めた技法ともいえる。これはその後の法家の思想にも取り入れられた。

なお、儒教の教典とされるものには、孔子以前からあったものを孔子や他の人々が手を加えて編纂した「**五経**」（『詩経』『書経』『礼記』『易経』『春秋』）と、孔子やその弟子たちの言行録や教えを記した「**四書**」（『論語』『大学』『中庸』『孟子』）がある（四書五経）。

## 3 老荘思想

### †老子の思想

老子とは、著作は残してはいないが、司馬遷の『史記』や荘子の『荘子』に登場する、道教の祖とされる人物である。余計なことを為さないことで「自然の道」に従うことをよしとする。その思想は儒家思想において示唆される「天下統一」という考え方に否定的であり、**小国寡民**と呼ばれるように（『老子道徳経』第八〇章）、それぞれの国において無理のない自然な統治を推奨している。

たとえば、ある大国が領土を拡大し、いろんな火種やトラブルを抱えているとしよう。その国の統治者は、支配地域の人々の反乱を怖れるあまり、おそらく圧政を敷き、厳罰を科すであろう（これは中国だけでなく、ヨーロッパでもよくあることであった）。しかし、これは不自然な政策であり、本来ならば反乱を起こさなかったであろう人々の不満をも高め、死をも怖れないように至らしめてかえって反乱を引き起こし、結果としてその国家は崩壊する(『老子道徳経』第七二―七五章)。

不自然な状態に危うさを感じる統治権力は「儒教的な規律を守らせよう」と考えるが、しかしなかなかうまくはゆかない。そうすると、監視役と処罰役を用意しなければならず、余計な税金がかかる。その結果、さらに民は飢えて苦しみ、不幸になって、「こんな不幸に甘んじるくらいなら犯罪をしてでも……」と考えてしまう。道徳的退廃ゆえに規制を課そうとしているのだが、実際は規制を課すからこそ、逆に道徳的退廃が生じるという倒錯がある。この倒錯の背後には、そんなことをしなければ治められない不自然な状態があるのであり、だからこそ、自然の道に戻す方が理にかなっているといえるのである。*2

ゆえに、厳しい刑罰のもと犯罪や風紀の乱れが起きているとして、その後でいくら「仁が大事だ」「礼をきちんとしよう」といったところでどうしようもない。そもそも、仁やら礼やらを一生懸命説かねばならない時点でそれはもう不自然であって、本来はわざわざそんなことをいわなくともうまくゆくはずである。

たとえば、家族関係においても、しょっちゅう子どもをガミガミ叱りとばして言うことをきかせる親と、ふつうに接していて善いことをすれば褒め、悪いことをしたらたしなめる親がいたとしよう。前者のもとで育てられた子どもが真人間に育ったようにみえてもそれはあくまで人為的に矯正かつ強制されたものでしかなく、後者のもとで育った子どもと比べてどこかで歪みが生じている可能性が高い（もしかすると、監視や処罰がないところではルールを守らない大人となっているかもしれない）。

老子にとっては国民もまた同様で、自発的にその社会を支えようとするのが自然な在り方であって、それをいろいろな徳をもって「真人間になりましょう！　親のために、社会のために、国家のために！」と常々説教し続ける状況は不自然な歪みを与えることになる。老子は、人為的なことに頼りすぎて自然の道を外すことのないよう、「無為」のもと自然の導きに従うことをよしとする（**無為自然**）。

西洋でも、かの有名なルソーの教育論『エミール』にみられるように、「自然の教育」が重視されることがある。ルソーは、自然が個々人のなかに埋め込んでいる情操などが開花する前に、お仕着せの（形式的な）道徳やルールを教え込むことはその人間性を歪めてしまうと警告する。老子の場合、それを統治論にまで拡張的に適用しているといえるだろう。

儒教の不自然さとは、不必要にも「親と子」「君と臣」などと区分し、上が正しく下を導こうとか、下は上を尊敬して従うべきとする考え方を提唱している点にある。しかし、上やら下やら、善いものやら悪いものやらといった区分をわざわざ作って、その枠によって物事を進めようとするからこそ余計な対立や反発や衝突が生じる。そして自分で作ったトラブルを乗り越えるために儒教的教えの必要性を訴える。これでは自作自演のようなものである。この点を鋭く指摘した老子の思想は、ある意味では現実主義的な政治思想といえるだろう。

### †荘子の思想

こうした老子の自然思想を引き継いだ荘子はさらに、身分秩序を批判するだけでなく、より観念論的な哲学を展開する。そもそも自然は渾沌としており、そのなかであらゆるものは等しい(**万物斉同**)。彼によれば、生と死すら自然のまえでは等しく、生に執着し死を怖れすぎるのは自然ではない。生を過大評価し死を避けようとあがく人は、とんでもない詐欺やデマに飛びついたり、人を蹴落としてでも生にしがみつこうと悪事に手を染めるかもしれない。

まことの道を悟った「真人」について荘子が語るには、「上古の真人は、生を喜ぶべきとも思わず、死を悪むべきこととも知らず、この世に生まれて出でても喜ばず、あの世に引き入れられることも拒まなかった」ということである(『荘子』大宗師)。この観点からすれば、現実というのも夢のようなものであって、どちらも儚いものであるがゆえに現実にこだわりすぎる姿勢を戒めることにもなる（いわゆる「胡蝶の夢」：『荘子』斉物論）。こうした万物斉同の発想は、儒教的な階層制度の否定であるがそれだけではなく、後の道教にもつながるような、中国独自の自然哲学的な考え方だとみることもできる。

たとえば、『老子道徳経』第四二章に「万物は陰を負いて而して陽を抱く」というような表現がある。自然のあらゆるものは陰と陽のような両面をもっており（あるいはそれらから構成されており）、陰と陽それ自体に優劣などはつけられない、と主張している。こうした考え方は陰陽説ともいえるものであり、その陰陽説は自然の構成要素とその関係性を明らかにしようとした五行説と相まって、陰陽五行説と呼ばれるようになる。*3 陰陽説を理論化したものとして陰陽道というものがあるが、陰陽に基づく森羅万象の説明の仕方は――後に儒家の経典として位置づけられるようになる『易経』にも登場するが――自然の「道（タオ）」としての法則性を重視するものであり、初期の老荘思想にもそれは確認できる。荘子はまた、中国哲学独自の「気」の概念についても言及しており、それが集まれば生となり、その逆が死であるといった、気功につながるような話もしている（『荘子』知北遊篇）。

## 4　その後の中国思想

他にも中国思想は多岐にわたっており、儒教の階層的な考え方を「差別愛」として非難し、兼愛主義（博愛主義）のもと、「平等」「非戦」「実用」を説いた墨家思想や、礼の概念をさらに律法主義にまで発展させた戦国時代の秦の商鞅(しょうおう)やその教えを集大成させた韓非(かんぴ)に代表されるような法家思想もあった。しかし、巡りゆく王朝交代のなかで、結果的には儒教と道教、そしてインド由来で中国式にアレンジされた仏教が主要な中国思想として定着した。

### †中国三大宗教の確立

儒教は為政者に対する苦情・非難にもつながりやすいことから秦の始皇帝から弾圧されるなどの憂き目にもあったが（焚書坑儒）、その後の漢王朝には重宝され[*4]、官学としてその後長く続いてゆくこととなった。

また、どちらかといえば民間信仰的な形で全土へと広がっていった道教は、さまざまな神や英雄などを崇める多神教となり、ときにはその神秘主義的な神仙術が統治権力側から受け入れられることもあった。さらに、仏教の瞑想や禅などの手法も組み込みながら、万物の構成要素である「気」を操ることで丹田にそれを集中させ練られるとされる内丹（霊薬）や内気功といった考え方は、民間の健康法として今なお影響を及ぼし続けている。

### †朱子学の誕生

さて、そうした中国独自の「気」の思想は、「理」を追究しようとする宋代の風潮の高まりとともに、「（新）儒学」として発展を遂げる（そのうちのあるものは宋明理学とも呼ばれる）。もちろんこれは儒教の流れを汲むものではあるが、そこにおける「理」と「気」という概念は老荘思想や道教由来のものであり、さらに「知」への到達の仕方や実践方法には仏教的な要素も組み込まれている。それは、当時の最先端の中国思想として、後に日本にも伝えられることになった。その代表的な朱子学と陽明学についてみてゆこう。

朱子学とは、一二世紀の南宋の朱熹によって——宋の程頤・程顥らの流れを汲みつつも独自の思想として——儒教を再構築したものである。おおまかにいえば、それは「理気二元論」と呼ばれるものであり、万物の原理「理」と、その構成要素「気」を理解することで、個人の修養からひいては社会秩序の安定に至る道を説いた。理を極めれば（窮理）、慎み深い心となるし（居敬）、世界について知るに至ることで（格物致知）、道に背こうとは思わなくなる。

この思想はギリシアのアリストテレスと類似しており、アリストテレスは「理」を形相因、「気」を質料因とおいたり、学問的知を修め、技能を高めることで思慮深い「実践知（フロネーシス）」をもつようになると説いた。そこでは、しかるべきときにしかるべきことができ、バランスを崩さない――つまり「道」から逸脱しない――理にかなった在り方が実現される。

朱熹もまた同様にそうした思慮深さを求めるのであるが、その思想において特徴的であるのは「**性即理**」である。「性」とは心静かな状態であり、これが崩れると「情」になり、さらに「欲」となって理に適った道から外れることになる。「自然の本性（本然）」こそが天理であって、それを外れた形で情に流され、欲に溺れないためにも、つまり、自分自身を知ることで自身を制御できるよう学問を修めることを推奨する（この点では、朱子学はプラトン的であり、アリストテレス的であり、そしてストア派的でもある）。

### †陽明学と知行合一

これに対する別の儒学一派として名を上げたのが明代の儒学者であり陽明学の開祖といわれる王陽明である。陽明学自体は、南宋の儒学者（心学）である陸象山が唱えた「**心即**

理」を継承した心学の一派ともいえるが、この心即理とは、朱熹の「性即理」へのアンチテーゼでもある。というのも、陸象山や王陽明からすれば、人間が人間としての理を求めるならば、自身の心のなかにこそそれを見つけようとすべきであって、いくら自然や宇宙など外界を見渡しても見つけることなどできない。自分がどうすべきかについての道と理は、自身のなかにこそある。ゆえに、自身について深く知ることが大事なのである（致良知）。

王陽明はさらにそこから一歩進めた実践主義を説く。それは、知っていれば行うのではなく、行うことも「知っている」に含まれる、という考え方である（**知行合一**）。たとえば、優しさを知ること、すなわち優しさについての「知」というのは何も経験しないで得られるものではなく、相手に接して思いやってはじめて己の心の内にある優しさにふれ、それをさらに反省的に突き詰めて「もっともな優しさ」にたどり着く。そうした実践ぬきに、単なる書物や言葉だけをもって「優しさを知っている」ということはできない。これは一種の実践主義的経験主義であり、小難しいことを並べる学者や科挙に合格するようなエリートのみが理を極められるわけではなく、市井の一般人も日々の実践によって「理」を極められるとするものである（この観点から、陽明学は朱子学をエリート主義的な差別主義と批判する）。

## †仏教の定着

その他にも、シルクロード経由で伝播したとされる仏教も中国ならではの発展を遂げた。後漢時代からは寺も建てられたりするなど、当時は新興宗教ともいえる存在であった仏教は次第に受け入れられはじめ、五世紀後半から六世紀には、禅宗の開祖といわれる達磨（だるま）がその教えを広めたといわれる（その座禅の精神はその後、鎌倉時代に日本にも伝わってくる）。何回か廃仏運動もあったが、隋の文帝などは国家統治に仏教を利用したりと為政者との結びつきもそれなりにあった。

六世紀以降はさまざまな派閥が現れるが、七世紀には唐の玄奘（げんじょう）三蔵が仏典を直接持ち帰り大規模な漢訳が行われることで中国はアジア地域における仏教先進国となった（この時代、浄土教、禅宗南北派、華厳宗、密教などが生まれたといわれる）。八世紀には不空によって密教が大成され、九世紀には、その弟子の恵果に日本の空海が師事しその教えを持ち帰り、日本の真言密教になった、という歴史もある。

## †温故知新

さて、このように中国思想のおおまかな流れをみてきたわけであるが、その主張には唸らされるところもあったのではないだろうか。国家統治において天命を受けた君主（天子）という独裁者を想定したり、その君主に徳を期待する儒教というものは、現代においては受け入れがたいものかもしれないが、しかし、まったく応用可能性がないというわけではない。

現代の自由競争と契約社会において、会社とは単なる利己的思惑をベースとした労働契約によって成り立った作業場というだけではなく、同じチームとしてなんとか生き残っていこうとするような小さな共同体という側面もある。そんなときに経営者が仁と礼を欠いているとすれば、チームの成員間の共感も成立しにくくなり、やがてはその企業は売り上げを落として長続きしないかもしれない。

たとえば、従来の日本型の年功序列システムはいわば儒教的モデルであり、アメリカ型の個人主義的利己主義を念頭においた合理的経営モデルからすると不合理・不条理だらけで無駄が多いものであろう。しかし、前者には社員の企業内育成というアドバンテージもある。後輩は先輩から技術を学び、部下は上司から仕事のノウハウを学びながら、未熟な状態を脱し、そして「先輩になったんだから、今度は私がきちんと後輩を育てて……」とか「給料と権限をもつ上司になったんだから、恥ずかしいマネはできないな」という義務感のもとで後進の指導や育成、ひいては組織の維持・発展に寄与しようとする。もちろん、怠け癖のある人や能力がないのに昇進してしまうケースもあるだろうが、儒教的な価値観と義務感のなかで生きている人たちはそれなりの努力をして所属企業に貢献することだろう。

他方、アメリカ型のモデルでは、成績に応じた給与がインセンティヴとして働き、多くの人が高収入を目指して頑張るわけで、そこでの働き方は日本型モデルが抱える無駄をそぎ落とす形で効率化されてゆくであろうが、それが個人主義に基づくものである以上、より良い条件を提示する他企業への転職・ヘッドハンティングが後を絶たないだろう。儒教的な価値観というものが必ずしも無意味というわけではない理由がここにある（しかし当然ながら欠点もあるわけだが）。

とはいえ、儒教的なルールや人間関係を拒絶し、自然に立ち返ることを推奨する老荘思想の教えも捨てがたい。無為自然はときに放任主義のようにきこえて利用可能性は低いようにみえるが、しかし、親友や恋人関係、それに小規模の家族経営のような会社において、徳や礼を厳しく要求しすぎるのは息苦しさ・窮屈さを生み出し、本来は他人を慮っていた感受性も鈍麻するかもしれないし、そこで自然に得られていたはずの楽しさや充実感が失われるかもしれない。

それに、これは身の丈に合わない振る舞いを抑制する教訓ともなりうる。たとえば、顧客にも働く側にも魅力的であったある中小企業が事業を拡大して店舗を増やすと、当然、それらを束ねるための強いリーダーシップとグループ全体に共通したルールが必要となるだろう。しかし、そのもとで採算をとろうと業務がマニュアル化されるようになると、当初の魅力が消えて、労働者は働く意欲をなくし、馴染みの顧客も離れてしまうかもしれない。もちろん、どの企業にも該当する話ではないが、自身が身を置く「職種」「能力」「環境」といった各要素を包摂するその状況――いわば「自然」――を無視した無謀な挑戦は、一時期は成功してもどこかで歪みがくるものであるし、それを矯正するために教条主義的な統治をおこなったとしても、そこでは自然に沿った在り方のもとで享受できていたものが失われてしまっているかもしれない（もっとも、資本主義的な自由競争社会において生き残るためにはこの手の自然思想はなまぬるい理想主義なのかもしれないが、逆にいえば、こうした自然思想を間違いとしてしまうような資本主義的価値観にこそ問題があるといえる）。

こうした点を鋭く指摘していると思えば、無為自然や小国寡民を訴える老荘思想からも学ぶべきところがある。いずれにせよ、過去の思想に安易に飛びつくべきではないが、過去のそれらを吟味して、現代でも利用可能なものとして再構成してゆくような態度こそが必要なようにも思われる（これも『論語』にある温故知新といえよう）。

【注】

＊1　陰陽説とは「陰と陽」「天と地」のように、個々の要素は独立的でなく一方があるからこそ他方があるといった非還元主義的な全体論であり、後に結合する五行説とは、より自然科学的な還元主義として「火」「水」「木」「金」「土」の諸要素の組み合わせをもって自然現象や社会現象などを論じるものである。

＊2　『老子道徳経』第七三章には、かの有名な「天網恢恢、疎而不失」が登場する。天の網は大きな目があるのだが、それでいてそこからこぼれるものはない、という意味である。これは、むやみやたらと細かいルールなどを人為的に用意しなくとも、天というものは最終的にはうまく悪事をやめさせるよう働くことを示唆している。

＊3　それを理論化した陰陽家として有名なのは、紀元前三世紀に活躍したとされる鄒衍（すうえん）。

＊4　この時代、五経を研究・教授するための五経博士という官職が登場したといわれる。六世紀には百済（くだら）経由でこうした五経博士が渡来し、日本へ儒教を伝えたとされる。

【図版出典】

一二四ページ　ⓒiStockphoto.com/Zhang Rong

第5章

# 日本思想——多面的な日本的価値観

「日本文化の根幹は、神道と仏教だ！」と主張する人は多いし、また海外からもそのように見られがちである。日本にはいたるところに神社や仏閣があり、日本で暮らす人ならば、行こうと思えばお参りや初詣に気軽にいけるし、冠婚葬祭などの行事は神式もしくは仏式のいずれかで行ったりもする（もちろん、日本在住のクリスチャンならば教会で行うだろうし、クリスチャンでなくとも教会で結婚式を挙げることはさほど珍しくもなくなってきているが）。また日本独自の神社仏閣を観ようと、大勢の外国人観光客が来日したりもする。ゆえに、「神道と仏教こそが日本文化である」という主張は間違ってはいない。

ただし、今も昔も何一つ変わらないものなどないし、閉鎖的な島国とはいえ、さまざまな地域と交流を続けてきた日本は、つねに海外の思想の影響を受けてきた。何が変わり、その変化のなかで何を受け継いできたのか、その思想の歴史を知らないままだと、日本文化やその精神性そのものを単純で分かりやすいものと決めつけることにもなりかねない。島国でありながらも多種多様な神々・宗教・思想が混在する「日本」という国について、比較思想の観点からみてゆこう。

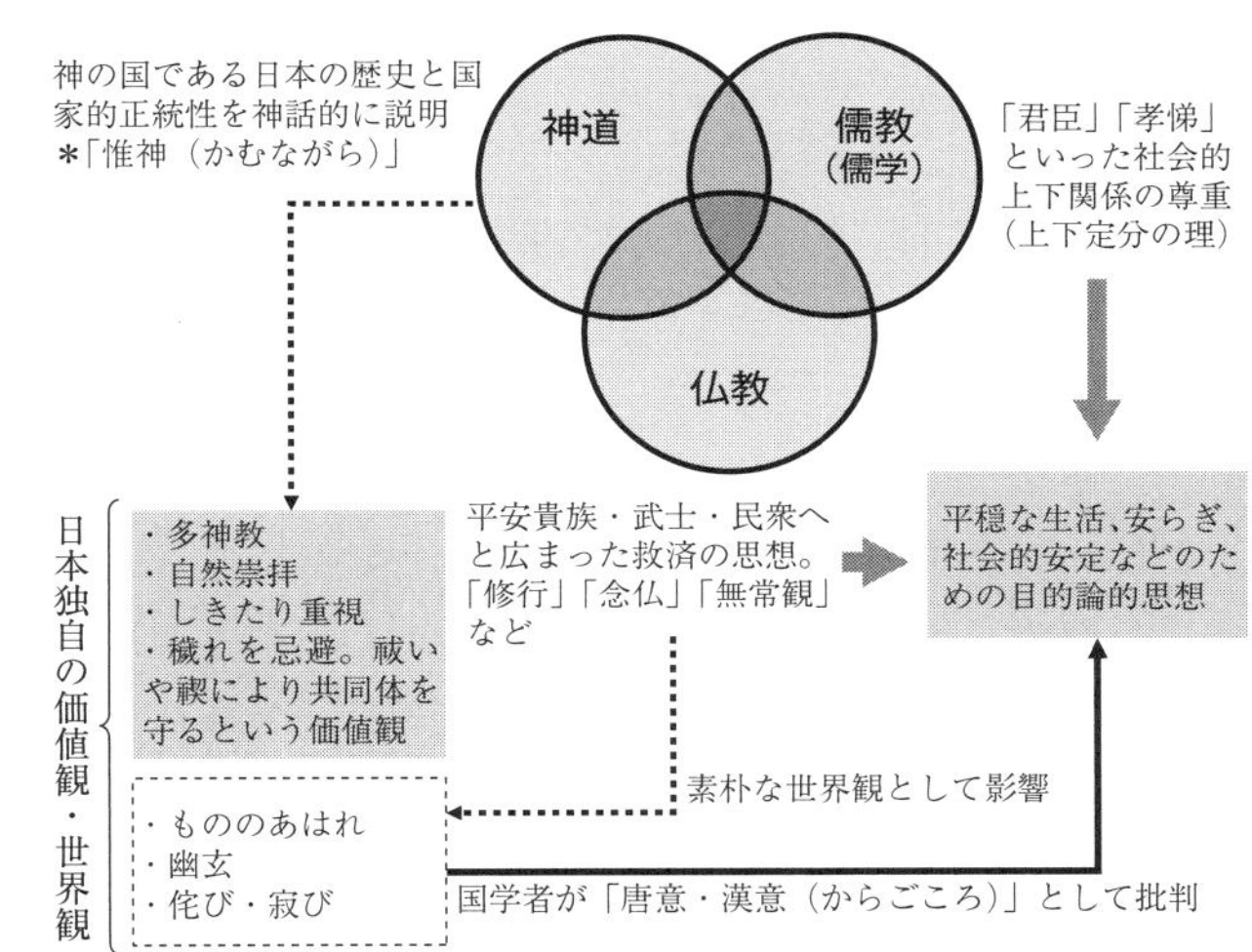


# 1　神道と自然崇拝

## †「日本の歴史」としての神道

「神道」という語の記録として一番古いのは、『日本書紀』にある用明天皇の即位前紀（西暦五八五年）であり、その次のものは孝徳天皇の即位前紀（六四五年）とされている（歴史書としての『日本書紀』の成立自体は奈良時代の養老四年〔七二〇年〕）。「神道」という言葉自体は——その語自体は漢字なので当たり前といえば当たり前なのだが——前三世紀頃の中国（周の時代）に登場しており、そこには「天」や「道」の思想がみてとれる[*1]。道教は四世紀に日本に伝来してきたとされており、六世紀に渡来した仏教や儒教よりも、日本に影響を与えたのは早かったものと思われるが（自然哲学的な陰陽五行に基づく占いなどにその痕跡がみてとれる）[*2]、ただし、このことは当時の日本が中国思想をそのまま模倣したということを意味するわけではない。

政治的実権を握った大和朝廷においては、歴史の積み重ねのなかで、朝廷の政治的権威の正統性を示すような祭儀のしきたりや物語性が次第に象られてゆくようになった。前述の『日本書紀』での第三六代の孝徳天皇の詔には、「惟神も我が子治らさむと故寄させき（惟神我子応治故寄）」とあるように、天照大神が自らの子孫に日本を治めさせるとしたことが語られている。つまり、土着の神々の一柱である天照大神にはじまり、天皇家へと継承されてきた統治形態そのものが、神の道にかなった日本の在り方といえる[*3]。

たとえば、国生みをしたイザナギとイザナミのように、高天原の神々が日本をつくった話や、（イザナギの禊から生まれた）スサノオの娘と結婚したオオクニヌシ（大国主神）が地上である葦原中国をうまく統治するために、オオモノヌシ（大物主神）を祀ることで平和と繁栄がもたらされたという話は[*4]、日本の国土と神々との古くからの結びつきを示したものである。そして、その大国主に使者を遣わして地上を譲り受けた高天原の主神である天照大神は、地上の統治をまかせるために孫のニニギノミコト（瓊瓊杵尊）を送り、その後、その息子である彦火火出身尊（山幸彦）のさらに孫である神武天皇が大和国への遠征をおこない大和朝廷初代天皇として即位した、というストーリーには、大和朝廷が日本国を統治する正統性と正当性を備えていることが示される。

このように、「神道」とは、日本の神々を崇め奉る宗教というだけでなく、「道」に外れることなく、平和と安定を実現するような日本の統治形態あるいは統治手法という意味がその核にあるといえる。*5

**✝自然崇拝**

このように、神道とは本来、神の一族による統治の正統性を示す「道」の思想であったのだが、その多神教が――インドにおけるバラモン教がヒンドゥー教となったように――土着的な地域信仰となってゆくにあたっては、日本の国土に広がるさまざまな自然の在り方に神々が見いだされ、いろんな形で崇拝されていた、という事実を忘れるべきではない。

天皇家のラインとしての神統（神の系譜）のほかにも、日本ではさまざまな神々が天と地（あるいは海など）に座し、そして山や森や川といった自然を形作りながら遍在している。その脅威に対してどうしようもないこともたくさんある。それに、扱いをきちんとすれば恩恵を受けることができるのだが、しかし、それを間違えると祟られるという微妙な状況に人間はいる。これは、一見するとギリシアのような運命論的世界観のようにもみえるが、自然と神々を熟知し、きちんと対応することでそれらと共存してゆく技法という面を神道はもっており、だからこそ、自然を畏れ崇拝し、それを表現する祭儀や作法を重視するような文化が形成されていった。

もちろん、日本は神道一色のままではなかった。大陸より渡来してきた仏教と合わさって、自然崇拝的な山岳信仰としての修験道が生まれたり、呪術や占術の面を強めた道教や陰陽五行説などと融合して日本独自の陰陽道が生み出されもしたが（律令制のもとで陰陽師などの官職がもうけられ、ときに政治的意思決定にも影響を与えた）、その背景には、自然界を独自の法則で支配する神々の存在が垣間見える。たとえば、真言密教の活動拠点として高野山を賜った空海であるが、その開創にあたっては、山中の地・水・火・風・空を支配する五神に対しての護身結界の法事をおこなったとされている。[*6]

日本古来の神道と外来の仏教との融合的な信仰形態、いわゆる**神仏習合**の観点からいえば、基本的には、仏教の枠組みのなか、日本の神道は生き残り、神々の在り方や役割について仏教的な意味づけがなされていった。たとえば、**本地垂迹説**（ほんじすいじゃく）のもと日本の神々は「仏」の変わり身として――仏本来の在り方（本地）が、この世界に顕現する（垂迹）という考え方のもと――人々に信仰され続けるようになった。[*7]

神と仏が違うのはおそらくみんな知っていることだと思うが、いろんな呼び方があって混乱する人もいるかもしれないので、ここで簡単な用語を紹介しておこう。「如来」とは真理の世界からやってきて現世に現れた真理の体現者（仏のこと）であり、[*8]「菩薩」とは、一切衆生（この世に生きるすべてのもの）を救済しようとする誓願をたてて修行し、衆生を救済し続けているものである（いずれ悟りを開き完全な仏となる定め）。

これに対し、インドや中国、日本の神々は「天部」と呼ばれる（七福神の大黒天・弁財天・毘沙門天はインド由来だが、福禄寿・寿老人・布袋は中国、恵比寿は日本由来とされる）。密教などにおいては、仏教に帰依した天部の神々は「明王」として、悪人を懲らしめ、道を外れないよう威嚇しつつ仏の道へ導く存在として崇拝される（不動明王や愛染明王など）。このように、仏教が広まった日本においても、神々は独自の役割を担う形で生き残り、人々に敬われていったのである。

### †神道の考え方

さて、「神道」の概念は、さまざまな書物・文献・考え方によって表現されているもので、それらは神統記として、日本の由来や神々の系譜、天皇家の成立などを示してもいるが、同時に、その成立の物語にちりばめられた価値観や世界観、崇拝の在り方などもそこに含んでいる。おおまかな特徴としてそれを挙げてゆくと、下記のようになるだろう。

**神道の特徴**

①多神教（八百万の神）……天津神と国津神、[*9]それ以外の祟り神や氏神など。[*10]

②自然崇拝……山や海、木や森、滝などにも神が宿っている（禁足地として一般人の出入りを制限することもある）。

③並行世界論……神々も死者も、この世界とは別の場所で今も暮らしている。また神々やあやかしが暮らし、人間が立ち入ってはならない常世（不変の世界）と、人間が暮らす現世（うつろいゆく世界）があり、ときに両者が交わることがある。

＊道教文化由来の中元節や、仏教由来の盂蘭盆会といった「供養」の意味合いも大きいものの、故人が一時的に家に戻ってくるとされる「お盆」の風習の背後にもこうした世界観がある。[*11]

**重要概念**

「罪」……集団秩序の破壊・侮蔑ともいえる振る舞い。

「ケガレ」……日常生活のなかで生きていても自然発生的に生じる生理現象・自然現象がもたらすもので、事故、病、死といった災難の原因とされるもの。人為的な罪によってても生じるとされる（作為・無作為にかかわらず）。そのままでいれば共同体に災いをもたらしかねない忌避されるべきもの。

「祓（はらい）」……ケガレや災厄を取り除く神事。

「禊（みそぎ）」……滝、川、海などでケガレを浄めること。水を使った祓の一種。[*12]

こうした神道的諸概念は、現代に生きる我々の価値観にも影響をもたらしているように思われる。たとえば、道を外れてしまい悪いことをした人であっても、きちんと反省して償うことでケガレを祓い、「禊をすませた」とみなされる。もっとも、罪がなくとも災厄にみまわれることはある。たとえば「厄年」は自然のもので避けがたく、[*13]その対策として「厄祓い（やくばらい）」がある。生きている限りなんらかの形でケガレは身にまとわりつき、災厄はこちらの意向に構わず（あるいは業とは無関係に）やってくるわけで、神道の儀式というのはそのような自然のなかで生きる知恵を含んだものといえる。

このように、日本文化に根を下ろしてきた神道ではあるが、最新の学問として大陸から仏教が伝来すると鎮護国家のためにそれが取り込まれ、統治階級がそのトレンドに乗っかったり、あるいは民衆へ広まるなど、仏教が広く日本を覆うことになった。しかし、やがて神道と仏教とが両立する形で、神道の神々と仏の現れを同一視したり（本地垂迹）、仏教を守護する役割を日本の神々に担わせるなど（護法善神）、神々と仏とを共に敬う神仏習合が定着してゆく。*14

## 2　日本の仏教

### †仏教の伝来

さて、次に大陸から伝来した思想でありながら、日本に根付き、独特の価値観・世界観を形成するにいたった日本仏教についてみてゆこう。

日本への仏教伝来は六世紀とされており、当初は、崇仏派の蘇我氏と廃仏派の物部氏との間で受容か排斥かの争いとなったが、蘇我馬子と物部守屋の代で一応の決着がつき、飛鳥時代の推古天皇のもとで仏教による統治が開始される。聖徳太子が作ったとされる有名な十七条の憲法（六〇四年［推古一二年］）でも、「三に曰く、詔を承りては必ず謹め。君をば天（あめ）とし、臣をば地（つち）とする」とあるように、天皇を「天」としてそれに従う道を示している点では神道的統治を推奨してはいるが、しかし、「二に曰く、篤く三宝を敬へ。三宝とは、仏・法・僧なり」とあるように、実践としては仏教的要素が強く取り入れられている。

もちろん、この時点のものをそのまま国家宗教とみなすべきかといえば話は別で、物部氏のような旧体制派を排除し、のちの律令制にもつながるような法制度や官僚制度の前準備としての意味合いが強いようにもみえる。実際、ここから僧綱などの官職的僧侶や国家監督の官寺の建設が増えてゆくが、この点を踏まえると、十七条の憲法とは、そうした規定のもとで天皇を頂点とする官吏・律令システムを仏教を利用しつつ整備してゆこうという立憲君主主義的な意思表示でもあった。奈良時代になると鎮護国家[*15]のもと寺の建立も進むが、行基などによる布教によって草の根レベルでの仏教化も進んでゆく。

## †密教の流行

その後、奈良仏教やそれに与する勢力との距離を置くように、平城京から長岡京、そして七九四年に平安京に遷都して平安時代になると、遣唐使を通じた最先端の中国仏教を取り入れはじめた。

八〇四年に唐に渡った最澄は、中国の天台山国清寺に入り、帰国後は比叡山延暦寺にて

絹本著色 両界曼荼羅図

天台宗を開いた（そこでは大乗仏教の経典「妙法蓮華経［法華経］」が重視される）。他方、空海もまた同年唐に渡り青龍寺で受法し、戻った後に高野山金剛峯寺を拠点として真言宗を開いた（後に真言宗は「東密」と呼ばれ、天台宗は「台密」と呼ばれる）。これら密教がその他の仏教と異なるのは次の点である。

・宇宙の真理そのものを表すとされる法身仏は大日如来である（神仏習合では天照大神と同一視される）

・自らが現世においてその身で仏となることを重視する（即身成仏）

・一般の大乗仏教（顕教）が民衆に向け広く教義を言葉や文字で説くに対し、密教は教団内部の師資相承によって真理・真言を伝持するたとえば、密教には曼陀羅（曼荼羅）といって、大日如来を中心に諸仏を描いたものがある。修行僧はその前に座って瞑想し、心を空にすることで曼陀羅にある仏が修行者の胸に入り込み、そして修行者が曼陀羅のなかに入ってゆくことで真理を知る（観ずる）ことができる（入我我入観）。密教ではこの繰り返しによって即身成仏へ至る。

日本の密教は霊山を神聖視する在来の山岳信仰とも結びつき、修験道など後の神仏習合の主体ともなった。とりわけ、平安後期には貴族などにも密教が流行し、高野山や熊野三山へのお参りも盛んとなり、修行慣れした山伏たちがその案内をしたりした（そうした山伏は「先達」と呼ばれた）。

### †鎌倉新仏教の登場

平安後期から鎌倉時代にかけて流行った末法思想は、釈迦入滅以降、形式的な教えは残るものの、その本質は廃れ、ゆえに現世では疫病や戦乱が流行っている、という終末思想であり、ここから仏教の本質に立ち返ろうとする求道者や僧たちが現れた。はじめは天台宗で学び、その後高野山（真言宗総本山）で修行をした日蓮は、仏教の真髄を法華経に見いだし、「即身成仏」と「立正安国」を唱える法華宗（日蓮宗）の開祖となった。徹底した唱題重視で仏教原理主義ともいえるそれは他宗派を攻撃することもあり、鎌倉幕府から目をつけられ島に流されたりもした。曹洞宗を開いた道元は、自身のなかの仏性を見いだすためにひたすら座禅をし（即心是仏）、そして懺悔をすること（させること）でその功徳によって罪（業）を浄める懺悔滅罪を唱えた（経典は「大般若経」「般若心経」。ただし、浄土宗にもこうした考え方はある）。「懺悔しましょう」という教えが、キリスト教伝来以前の日本思想にも存在していたことを知っている人はわりと少ないのではないだろうか。

武家階級、とりわけ源頼朝をはじめとする東国の武士たちは、公家と近しい平安仏教（真言宗、天台宗）とは距離をおいたが、幕府の祈禱を行ってもらうため、また民衆の心をつかむ徳治事業としてお抱えの寺院をもつようになった。その主なものは禅宗の一派である臨済宗であった。臨済宗の始祖である栄西は最初、京都でその教えを広めようとしたが平安仏教勢力から弾圧を受けたこともあり、庇護を求めて北条政子（源頼朝の正室）が建立した寿福寺の住職になった。後に鎌倉幕府の後押しのもと京都に建仁寺を建立し、その教えを広めた。

### †念仏の民間浸透

他方、浄土宗の法然は比叡山延暦寺で修行した後、念仏（南無阿弥陀仏）を唱えるだけで浄土へ行けるとした（専修念仏）。仏教を主に二つに分けるならば、修行をしてこの世で悟りを開こうとする**聖道門**（**難行道**）と、衆生を広く救おうとする阿弥陀如来の本願に頼る**他力門**（**易行道**）とに分かれるが、法然やその一派は後者によって浄土に至り悟りを開く浄土門の重要性を説いた。

法然の弟子で浄土真宗の開祖である親鸞（しんらん）は、より極端に「絶対他力」の教えを説いた。阿弥陀如来の本願に完全にその身を委ねることで往生できる（浄土に至れる）、というのがその教えである。親鸞がいうところでは、悪人ですら（というより悪人だからこそ）阿弥陀如来はその慈悲をもって救おうとするので、それを信じないで修行に励もうとすることは阿弥陀如来の本願を拒絶するがごとき行いである、とみなされる。

浄土宗、浄土真宗ともに、勉学や修行などを特に必要とすることのないその教えは、当時の民衆に広く受け入れられることとなった。

さて、民間に念仏を広めた先駆者といえば、平安時代中期、南無阿弥陀仏と唱えながら町を練り歩き民衆を教化した空也（市聖、浄土教の先駆者）であろう。平安時代末期からは融通念仏宗でもそれが行われて念仏が広がっていった。鎌倉時代中期になると一遍（時[*16]宗の開祖）が念仏帰依の所作と踊念仏をはじめた（室町時代以降はそれが芸能化・大衆化されたりもした）。現在の「盆踊り」やそのベースとなる念仏踊りが登場したのも、こうした

空也堂踊念仏（『拾遺都名所図会』）

仏教の民間普及あってのものといえよう。

## 室町以降の展開

浄土宗あるいは阿弥陀仏の本願による救済を提唱した時宗や浄土真宗に比べ、臨済宗や曹洞宗などの禅宗は戒律的で自己の修行や鍛錬によって悟りの境地へ行くという姿勢が強く、闘争のための精神修養をよしとする武士の気風に合っていたようである。室町時代には、幕府や守護大名の保護のもと、水墨画、能、茶道などの文化芸術活動（禅文化）が栄え、煌びやかな平安時代のそれとは異なる素朴で趣のある芸能が発達していった。このあたりは、現在まで続くような日本庭園や芸能、料理などにもみられる「侘び」「寂び」の精神が醸成された時期といってよいだろう。

しかし、仏教は次第に寺社勢力とも呼ばれるような権勢を誇るようになる。平安末期より僧兵集団は存在していたが、延暦寺や興福寺などはそれに加え治外法権をもつ領地を有するに至り、幕府ですらそこには介入できないほどであった。それに、浄土真宗本願寺派は一向一揆と結びつくこともあった。ゆえに、戦国時代から安土桃山時代にかけては戦国武将は寺社勢力の解体を急いだ。とりわけ有名なのは織田信長の比叡山延暦寺の焼き討ちであろう。

その後は、キリシタン対策として市民の身分保障を行う寺請(てらうけ)制度が導入されて地域共同体レベルでの仏教は定着するも、江戸幕府自体は仏教でも神道でもなく朱子学を重用した。明治期には国家神道政策や廃仏毀釈運動などの憂き目にあった仏教であるが、草の根レベルで根ざした仏教はいまなお日本人の精神性を形成し続けているといってよいだろう。

## 3 儒学

### †儒学の官学化

さて、ここでは日本独自の「儒学」の話をしてゆこう。日本へ儒教が伝わったのは仏教よりも早く、継体天皇の時代の五一三年、百済より五経博士が渡日したときからである。その後仏教の隆盛もあったとはいえ、十七条の憲法にもあるように、下の者が上の者を敬うことで秩序が保たれるという儒教的な価値観はかなり古くから定着しているようにみえる。平安時代初期の律令制にもその痕跡は見られ、官吏制度や大学寮からもそのことはうかがえる。しかし中国ほどの科挙制度などがなかったためか、その表向きの影響力はそこまで強くなかった。

鎌倉・室町・戦国・安土桃山時代においても、仏教徒が教養のたしなみとして、中国の新しい学問である（新）儒学——いわゆる宋明理学——を学ぶという程度のものでしかなかった（その時代においても薩南学派や海南学派など儒学の一学派はできるものの、仏教に比べるとその影響力ははるかに小さかった）。

しかし、江戸時代になると、それまでの僧侶らが学ぶたしなみとしての儒教から独立させ、一つの学問としてそれを位置づける動きがあらわれた（儒仏分離）。そこには徳川家の家康・秀忠・家光・家綱の将軍四代に仕えた林羅山の存在が大きい。

林羅山を中心とした日本の儒学は朱子学中心のもので、万物は「理」と「気」から成るとする理気二元論を説き、「性即理」として、本然の性である仁義礼智信（五常）の理に立ち返ることを理想とした。そして、天のはたらき、すなわち「天道」を阻害することなくそれをたすけることこそが人道であって、この人道の実践・履行は「格物」より始まると説いたが、それは幕藩体制の身分秩序（士農工商）とそこにおける実践道徳を形而上学的に基礎づけるものであった。

『春鑑抄（しゅんかんしょう）』においては、宇宙の法則である「理」は人間関係においては身分として現れるとして上下定分の理を説き、幕藩体制下の身分秩序を正当化した。羅山は、理をきわめること（窮理）、そしてその理に適うよう内面を慎むこと（居敬）によって、外面としての礼が現れると説き、敬と礼こそが人倫の基本であるとした。

ただし、羅山によれば「君たる人は仁愛ありて、臣下・万民をあわれむが宜き処ぞ。さなくんば（そうでなくては）君たる人の義理がちがふたぞ……さるほどに、君の一大事には一命をもはたすは、臣の義ぞ」（『春鑑抄』、義）というように、下の方だけでなく上も義を重んじねばならず、上の方はまず先に仁愛の心をもって下と向き合わねばならないというように、孔子や孟子の君主論と類似している点もみられる。

**†安天下の道**

第五代将軍徳川綱吉は、幕府の文治政治への転換に際し儒学を重要視し、林鳳岡（はやしほうこう）をしばしば召しては経書の討論を行わせ、また四書を幕臣に講義させたりした。一六九〇年（元禄三年)、孔子廟を湯島に建立し(湯島聖堂)、そこでは、林家の私塾として「学問所」が開講され朱子学が教授されるようになった。また、儒教と仏教が分離する一方、山崎闇斎によって神儒一致が唱えられ、垂加神道などの儒家神道が生まれた。

日本の儒学は、朱子学や陽明学をそのまま取り入れるだけではなく、『論語』などの古代儒教の経典そのものを研究したり、朱子学に批判的な古学を含んでいる点が特徴的である。

もっとも、そののち、松平定信による寛政の改革の一環として行われた「寛政異学の禁」では朱子学以外のものを――日本の古典に立ち返るような古文辞学や古学も含めて――「風俗を乱すもの」として禁ずるなどの規制を行い、一七九〇年(寛政二年)「昌平坂学問所」を幕府の直轄機関として江戸儒学の拠点とした。いずれにせよ、日本の儒学の特徴は、「安天下」の道のもと、社会を統治する(江戸幕府中心の)武士階級は儒学を修めるべき、と主張するものであった。そして、そうである限り、武士階級(幕府)は正当性をもって社会を統治できるのである。

### †石田梅岩の「商人の道」

ただし、日本における儒学は武士階級以外にも広く知れ渡り、さらには、統治階級の道だけでなく、市民階級の道についても語られるようになり、ある種の経済学・経営学となったものもある。それが、江戸時代中期の石田梅岩が興したとされる石門心学である。

石田梅岩は、丁稚（でっち）奉公を経験しながら仏教思想家の小栗了雲（おぐりりょううん）に師事するなどして勉学に励み、四五歳のときに誰もが学べる無料講座を開き、一七三九年（元文四年）にはその集大成ともいうべき『都鄙（とひ）問答』を刊行した。そこでは、士農工商における最下層であった商人階級への偏見を打ち破ろうとする新しい儒学と、近代社会の基礎である商業活動を円滑にまわすための経済学が、「商人の道」のもとで語られる。

これまでも述べたように、朱子学とはそもそも情欲に流されない心性こそを「理」とみなす「性即理」の思想であった。その「理」を究めた武士が道に適った存在として天下泰平に寄与しているのに対し、商人は「欲」とみなされがちな存在であった。士農工商という言葉にも暗に示唆されているように、「商人は欲深い」「もうけている商人は強盗に襲われても仕方ない」「商人は財を投げ出して武士を金銭面で支えるべき」といった、低い社会的評価しか得られていなかった。

しかし、梅岩からすれば、「士農工商ともに天の一物なり。天に二つの道あらんや」（『都鄙問答』巻二）というように、商人も天下を構成する一部分であり、大きな道に沿った形で天下泰平に貢献できる存在である。商業活動をする商人を「欲」と決めつけるのではなく、「欲の商人」と「理の商人」をきちんと分けるべく、そもそも商人とは何であるのかその「性」を知るという——商人の本性をそれ自身において識るという意味で——「見性」が重要とされる。

さて、商人が求める「利」について考えてみると、商人のあるべき性がみえてくる。そもそも、他者が豊かでなければ商人は取引を通じて「利」を得ることができない。そして、社会が豊かであればあるほど、商人は利益を得ることができる。すると、商人が天下に必要な存在として「利」を得るというのであれば、天命に従う形で社会を豊かにする「利のかせぎかた」をしなければならない。そのための「理」は、常に適正な価格で取引する「真の商人」の実直な性(さが)にある。

優位にあるからといって仕入先から安く買い叩こうとせず、そして、困っている売り手にも不当な高値で売りつけようとしない。そうした姿勢が、長期的な取引および物の流通を支え、社会に必要なものを行き届かせて人々の効用を増大させ、そして信頼され、結果的に自分自身も長期的かつ大きな利益を得ることができる。

## †正直と倹約

そのための商人の徳は大きく二つある。一つは**正直**であり、これは利益のためといって相手をだまさないし、不当な価格で売買しないことである。「実の商人は先も立ち、我も立つ」というように、周囲の経済が成り立っていることで自分の利益も可能となるわけで、急がば回れというように、目先の利益に飛びつくような強欲な振る舞いは慎んで、正直な商人であるべし、ということになる。

もう一つは**倹約**であり、それは豪勢な食事や振る舞いをすることなくムダを省き、その分のお金を投資や万が一のための貯蓄に回すというように、用いるべきところにお金を用いるというものである。というのも、商売や取引を続けることこそが、継続的に経済をまわし、必要な物資をいろいろなところへ行き届かせることだからである。

このように、正直に商売をし、倹約し、正しくもうけて商売を続けるのは「天」が命じる「道」である。このことは、忠義を重視する武士の俸禄（報酬・褒美）でも同様であり、武士階級も適正な俸禄のもとで生きなければならないことを意味する。それを逸脱する過大な俸禄は倹約社会にひずみを生じさせ、商人や農民は生計を立てるために次第に手段を選ばないようになり、私利私欲にはしりがちになる。そこでは正直の徳も失われ、社会は崩壊しかねない。

このことが示唆するのは、幕府や藩が華美で豪奢な暮らしのために年貢を重くするのは天命に背き、道に外れている、ということである（梅岩の教えを体系づけた石門心学が松平定信の時代に一般向けの学問として奨励されたのもこの点にある）。こうした梅岩の思想は、今日のＣＳＲ（Corporate Social Responsibility：企業の社会的責任）とも繋がる考え方を含んでおり、我々もそこから多くを学べるのではないだろうか。

## 4 国学——日本独自の精神性？

### †国学の誕生

これまでは日本における神道の成立、そして仏教、儒教の受容などをみてきた。そこではそれぞれの立場からなすべき「道」を見極め、それに沿った振る舞いをすべきという規範的教訓が示唆されていた。しかし、ある文化における思考様式を理解するにあたり、そうした規範や教訓こそが障害となっていることもある。

そのことを教えてくれるのが、賀茂真淵やその弟子である本居宣長の「国学」である。国学とは狭義には『古事記』『万葉集』『律令』『延喜式』『和名抄』などの文献に基づき訓詁注釈を主眼としつつ日本文化を明らかにしようとするものである。

宣長の『古事記伝』などが有名であるが、それが画期的意味をもっているのは、それまで正史としての（漢文主体の）『日本書記』の方が歴史的正統性や世界観を示すものとして高く評価されてきたにもかかわらず、宣長は『古事記』にある物語性や表現の仕方に、日本独自の感受性や精神性が示されていると強調した点にある。

宣長がいうには、日本人は漢学（中国由来の学問）に流され、和の心を忘れてしまっている。そして「漢意」は、もったいぶった「理」ばかりを重視して、人本来の「情」を軽んじている、ということであった。儒学（儒教）は「理」ばかりを重んじて世の中をうまく変えたり社会をきちんと統治することばかりに偏重するし、仏教は欲求を捨てて悟りを開くことをさんざんアピールするが、結局それらは世の中をうまく渡り切ろうとする処世術であり、何事に直面しているのかその目の前にあるものそれ自体から何かを感じ取ろうとする素直さに欠けている、というのである。

別の言い方をするならば、儒教の「福善禍淫論」や仏教の「因果応報論」は、その人たちが頭の中で考える（理想とする）ところの世界モデルに沿った教訓・説教でしかなく（現在でいうところの「公正世界仮説」）、自然や世界そのものを感じ取ろうとする感受性を欠いているということになる。それと比較すると、古来の「大和心」というものは情緒や人情を理解し、心に染み込んでくるような奥深さやもの儚さ、悲しささえも、単に忌むべきものではない美しさとして捉えることができる優れものということになる。

宣長のそうした価値観・世界観を表わしているのが「もののあはれ」という考え方である。それは、何事かに触れるにあたりそこから生じる、しみじみとした感情の趣や哀愁のことである。源氏物語の注釈書である『紫文要領』や『源氏物語玉の小櫛』において論じられるそれは、もともとは藤原俊成の「恋せずは人は心もなからましもののあはれもこれよりぞ知る」(『長秋詠藻』三五二)の歌を出発点としている。つまり、主体の能力・欲望・意図を超えたどうしようもない流れのなか、そのどうしようもなさに嘆息をもらすその感じ方こそが人間本性の比類なき特徴であって、そこでの「情」を重んじる在り方こそが日本古来の精神文化であった、と宣長は主張する。これは、たとえ心が清い主人公であっても、苦難のもと悲劇的な「生」を生きてゆくありように、独特の心情と慈しみを感じさせる古代ギリシアの文芸論にも通じるものがある。

このような国学の大きな特徴としては、仏教や儒学から独立した(あるいはそれ以前の)日本の書物や古典を分析することで、そこに含まれる思想性や世界観を抽出しようとする点であり、それは近代文芸批評の先駆的営みともいえる。*17 もっともそのなかには単なる文芸批評の枠を超えてゆくものもあり、こうした国学はその後「古道学」として平田篤胤(ひらたあつたね)によって大成され、やがて復古神道として政治的観点から重宝されることになる。

## †そこにある美しさ

その他、日本独自の精神性をよく示すものとして、「わび（侘び）」と「さび（寂び）」がある。『万葉集』『古今和歌集』などにみられるこれらの言葉は、平安時代から鎌倉時代にかけては主に和歌の世界で用いられていたが、室町時代の質実剛健な寺院や茶の湯の世界を経て、江戸時代の松尾芭蕉の俳諧などで概念化された。

「わび」とは不足や厭うべき状態のなか、享楽的でも華美でもないその在り方にこそ美を見いだす意識のこと（もしくはそれをよしとすること）である。[*18] 一方、「さび」とは時間の経過のもと、華やかさや若々しさなどが変化してゆくなかで、そこに宿る独特の感じや奥深さを意味する（使い古した茶碗、崩れかかった城など）。

これらにはたしかに「諸行無常」といった仏教的世界観も含まれてはいるものの、本来の神道的概念であった「常世（幽世）」と「現世」といった世界観がその背後にある。生きている我々とこの世界が、罪深さや悟りなどとは無関係に移ろいゆくものであるという無常の世界観は、仏教や儒教以前にも、四季折々をみつめ時間の移り変わりのなかでそれをかみしめるという日本人の精神性の根底にあった（だからこそ、その寂しさに耐えきれずに精神の安定を求めようと、仏教や儒教が受容されたのかもしれない）。

現世の寂しさ、もの悲しさについてはいくつかの伝承からもみることができる。たとえば神の国（常世）と人間世界（現世）を行き来した浦島太郎の話などをみても、[*19]我々人間は移ろいゆく世界でしか生きざるを得ず、それは善行をなした（あるいは悪行を働いたわけではない）浦島太郎でも同様にそうであるといった「諦めざるを得ない寂しさ」がそこにあることが示されている（『竹取物語』にもそうした人生観が垣間見える）。

うまく言語化できないが確かにそこに「ある」美しさを捉える感性を重宝する傾向は、**幽玄**という概念にもみてとることができる。この語は平安期ごろから用いられはじめ、そこから、芸術文化を表現する理念として広まり、能楽・俳句・茶道などでは不可欠かつ重要な意味合いをもつに至った。

それらの芸能・芸術における美しさとは、その出来栄えを見た人が驚嘆して喜んだりするだけの表層的・情動的なものではなく、表面にははっきりと示されてはいないが、たしかにそこにある雰囲気を感じ取った観衆や聞き手に、のちのち心にしみこむような奥深さを感じ取らせるものである。それこそが、それらの作品が幽玄を備えている証ともいえる。そのことを踏まえつつ文学・芸術・芸能に触れることこそが「雅」である。つまり、日本文化的観点のもと文芸に触れるということは、単に「快楽」「慰楽」「満足」を得ることではない。

たとえば桜はキレイであり、満開であれば華やかで喜びを与えてくれるが、しかし、ハラハラと散りゆく儚げな様子もまた美しいものである。そこには桜が永遠に咲いているような状況では感じえないなんともいえない趣があるだろう。もちろん、だからといって「散ってほしいなあ」と願っているわけではない。あくまで、自然の流れのなかでの桜の在り方の話である。想いが叶わない「もののあはれ」についても同様で、想いが叶わないところの美のために悩み苦しむことをよしとするものではない。人間の手ではどうしようもない自然のなか、その一連の流れのなかで一瞬一瞬をしっかりと感じ取ろうとする繊細な感覚と想いの馳せ方を大事にする態度がそこにはある。

いずれにせよ、日本にはこのようにさまざまな思想のバリエーションがある。そこには日本古来のものもあれば、中国や朝鮮より伝来してきたものをアレンジしたものもある。しかし、それも日本で根付くなかで独自の変容を遂げており、いまや日本独自ともいえる世界観・人生観を形作ったといえる。

ときどき「日本には哲学や思想なんてない！」とか「日本ってのは、昔は中国、明治ではヨーロッパ、戦後はアメリカのマネしているだけだ」と声高々に叫ぶ人たちもいるが、しかし、日本思想をきちんと振り返るとそんなことはないことが分かるだろう。そもそも、キリスト教であれ西洋哲学であれ儒教であれ、一からできあがった完全にオリジナルなものなどありはしないわけで、大事なことは、そこで生きる人たちが、外から受容したり過去から継承してきたもともとの材料から、自分たちなりの世界や物事の捉え方やその枠組みをどのように彫琢してきたか、という点であろう。

現代の我々の何気ない考え方や態度、日常生活にも、その痕跡が残されており、それを受容するにせよ拒絶するにせよ、我々もまたその連鎖上に位置していることは自覚すべきではないだろうか。

【注】

*1 『易』において登場する「神道」という語は、「天地の道」とか「自然の理」という意味で用いられており、その後、「仙道」「真道」といった道術的意味を持つようになったといわれている（新谷尚紀［二〇一八］『神道入門――民族伝承学から日本文化を読む』ちくま新書、一五―一七頁）。

*2 他にも、たとえば『日本書紀』巻六、九十九年の条に、常世の世を「神仙の秘区」と表現している箇所などがある。

*3 「惟神」（かむながら、かんながら）については、同箇所の割注にて「惟神は、神道に随ふを謂う。亦自づからに神道有るを謂ふ」とあるが、解釈としては、①「古来の神道的祭儀の仕方や、お告げなどに従うやり方」、②「神がそう定めるような国の在り方」、あるいは、③天照大神、などが

ある。新谷氏は前掲書において、この箇所を文脈通りに読むならば、ここでの惟神は天照大神を指していることは明白であると主張・解説している。

＊4　祀られたオオモノヌシの位置づけには諸説あり、オオクニヌシとは別の、海の向こうから現れた神として祀ったとする説もあれば、オオクニヌシに欠けていた平和と繁栄をもたらすオオクニヌシ自身の和魂（ニギミタマ）としてそれを祀ったとみなす説もある。前者は『古事記』、後者は『日本書紀』由来であるが、それを合わせたかのような解釈がなされているケースもある。

＊5　こうした解釈については、新谷［二〇一八］、一八―二二頁。

＊6　熊本幸子［二〇〇七］「密教の仏と山における日本の神――空海の曼荼羅思想として」、『比較思想研究』三四号、一一五―一二二頁。

＊7　垂迹説においては、日本の神々＝仏の仮の現れ（権現）とされる。

＊8　たとえば、密教本尊の大日如来は天照大神と同一視される。

＊9　天津神とは高天原にいる、あるいはそこから天下った神々（天照大神や、その孫で天皇家の祖として天下った瓊瓊杵尊など）のことで、それ以前に地上である葦原中国にいた、あるいはそこを支配していた神々は国津神といわれる（須佐之男命や大国主は国津神に分類される）。

＊10　祟り神とは、荒ぶる魂（荒魂、アラミタマ）が人に災いをもたらす形で神となったもの。氏神とはもともとは血縁で結ばれた一族の守り神であったが、後に、地域の守り神となったもの。良く知られたものとしてはお稲荷さま、八幡さま、住吉さまなどで、「産土神（うぶすながみ）」とも呼ばれる。

＊11　並行世界観といえば、キリスト教以前にブリテン島（イギリス）に定着していたケルト系民族の「ハロウィン」というものがある。一年の終わりである一〇月三一日に、現世と霊界が繋がり、

そこから死者や妖精（シー）がやってくる。ケルト文化において新年のはじまりは冬の始まりとされる一一月一日であり、日没からその日が始まるので、一〇月三一日の日暮れから始まるハロウィンのお祭りは新年の祭り（サウィン）の一部ともいえる。

＊12　イザナギが黄泉国より戻ったときに行ったこと。『古事記』での経緯としては次のようなものである。カグツチ（ヒノカグツチ）を産んだときに火傷をして死んだ妻イザナミを呼び戻しに黄泉国に赴いたイザナギであるが変わり果てた妻の姿に逃げ出し、黄泉国の住人に追い立てられ、「毎日地上の千人を殺す」といった呪いをかけられた。黄泉国から抜け出したはいいが、死者の国の住人との接触で生じた穢れを落とすために行った沐浴が「禊」である。その際、左目を洗うとアマテラス、右の目を洗うとツクヨミノミコト（月読命）、鼻を洗うとスサノオ（須佐之男命、素戔嗚尊）が生まれた。いわゆる三貴子（みはしらのうずのみこ）である。

＊13　厄年のように、吉兆に関わる忌み数字の文化は、神道そのものというよりはそこに吸収されていった陰陽道に由来するようにも思われるが、厄を「祓う」という発想自体は神道に位置づけられるだろう。

＊14　たとえば、「神宮寺」という施設や地名などを耳にしたことがあるかもしれない（私のうちの近所にも「神宮寺前」というバス停がある）。これは仏教伝来後に神社に付属して建てられた寺院である。社僧（別当）が神社の祭祀を仏式で挙行する仏教施設ではあるものの、鳥居があったり、しめ縄があるところもある。

＊15　鎮護国家とは、仏教には国家を守護・安定させる力があるとして利用する思想。

＊16　時宗は、一日六回、決まった時間に不断念仏する集団として「六時念仏衆」や「時衆」と呼ば

れていたことが由来とされる（この点ではイスラームを彷彿とさせる）。特徴的なのは、遊行をしているときに「ご賦算(ふさん)」という念仏札を配る布教活動を行ったことで（お金で売りさばくわけではないが）日本の贖宥状ともいえるものである。

*17 もっとも、こうした方法論はその批判対象である儒学者たちの影響もある。たとえば有名な江戸の儒学者である荻生徂徠(おぎゅうそらい)は、宋学としての朱子学をそのまま取り入れるのではなく、古代中国の古典そのものを読み解きながら、儒教の本質を探ろうとする古文辞学を確立した人でもあった。

*18 『万葉集』では、思い果たせず諦めて寂しい情感として使用されている（巻第四、六四四および七五〇など）。

*19 『万葉集』（巻第九、一七四〇）にある浦島ノ子は、漁にでて海の神の娘と出会い、常世で夫婦になった、とされている（最後に、現世に戻り箱を開けて年老いてしまったのはよくあるおとぎ話の浦島太郎と同じであるが、いじめられている亀を助けてはいない）。

【図版出典】

一五四ページ　古河市教育委員会提供、宝蔵寺蔵

一五八ページ　国際日本文化研究センター蔵

第6章

# 近代の哲学思想——理性の時代

さて、ここまではいろいろな古今東西の思想をみてきたが、その多くは、特定の社会・文化内部で信奉されている超越的存在（神・それが宿る自然・天など）や宗教指導者に帰依することで、個人の救済もしくは国家の安寧を目指す宗教思想であった。本章では、それらとは一線を画す「西洋近代哲学」について簡単にみてゆこう。[*1]

その特徴は、「理性」に目覚めて「自由」となり、より良い自分・より良い社会を目指すことにある。こうした理性の時代の思想として、社会哲学にはロックの自然権論、倫理学にはカントの義務論などがあり、それらは近代的人間モデル・社会モデルとして今なお影響力をもっているといってよい。

しかし、理性主義にはそれ以外のもの、対立するものもあり、たとえば、効用計算重視の功利主義、あるいは、社会改良とより良き世界の実現を目指す西洋独自の革命思想というものもある。同じ理性主義でありながらもそれぞれ目指すものが異なるという点は非常に興味深い。

哲学も宗教も「人はどう生きるべきか？」を問い、なんらかの方向性を示すものではあるが、哲学とは、神仏や天の意志といった超越的存在やその啓示をぬきに――とはいえ必

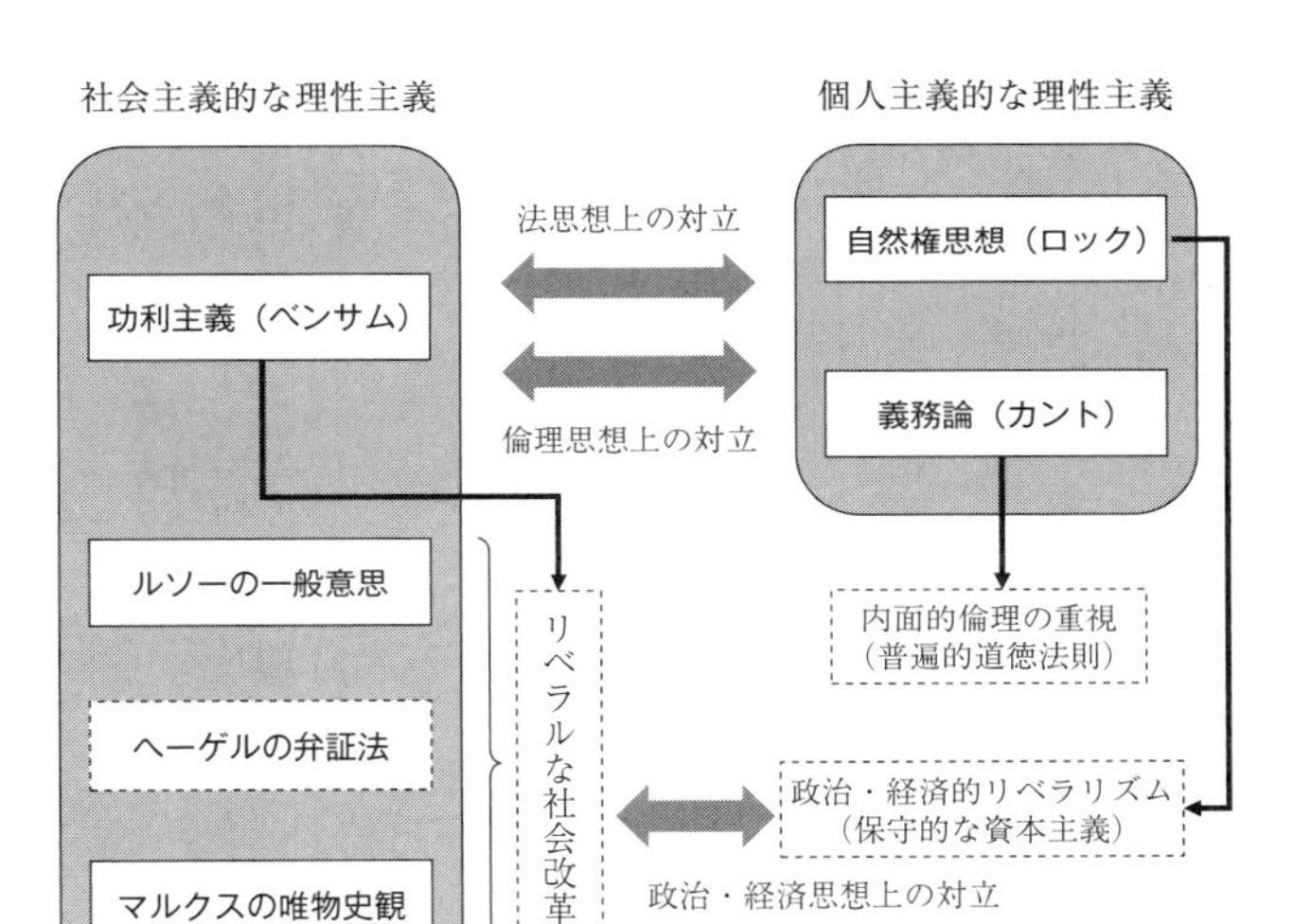


ずしも否定するとは限らないのだが――人間であれば誰もが理解可能なロジックによってそのことを示そうとするものである。

理性を重視する哲学は、西洋においては、古くはギリシアのソクラテスから始まるが、途中それはキリスト教神学と結びつく形でスコラ哲学となり、次第に宗教色が捨象される形で近現代の哲学へと至る。いくつかの西洋思想（ギリシア思想、ローマ文化、キリスト教）についてはすでに前半で論じたので、ここではそうした宗教色が取り除かれた近代の哲学思想について紹介してゆこう。

## 1 カントの道徳哲学

### †理性による論証

近代を代表する概念として「人権」というものがある。人権は不可侵のものとして互いに尊重し、政府もそれを保障することこそが「普遍的に正しい」とされる。世界中に広まるにつれ脱宗教化が進んで久しいこの概念だが、もともとは、神の法の一部である自然法（[羅] *lex naturalis*、[英] natural law）とそこで保障される自然権（natural rights）に由来するものであった。

神の法を直知できるのは、神の声を聞ける（聞けた）一部の限られた預言者や聖人のみである。では、それができない一般人、あるいは、聖書を読まない（読めない）非キリスト教文化圏の人たちは神の正しき教えにアクセスできないのかというとそんなことはない。神は自然を作る際に被造物としての我々人間すべてに理性を授けてくださったので、神の法すべてではないにしても、その一部である自然法を理性によって理解できる、というわけである。

このように、すでにある「自然」をベースとして、自然界の普遍的法則や「理」についての理性をもとに確証してゆくことで、奇跡や預言者や聖書といった特殊啓示ぬきで、それらを理解するのと同様に、神とその正しき教えやなすべきこともまた一般的な啓示という形で理解できる、といった考え方は**自然宗教**（natural religion）と呼ばれる。*2

もちろん、厳格なキリスト教徒からすると、モーセやイエスなどが聞いた神の声や彼らの言行、その言行録である聖書の意義を軽視しているかのような自然宗教それ自体はやはり許容しがたいものではあったが、キリスト教の影響力が失われつつあった近代においては、論理と言語を駆使できる理性的人間全般に示される「一般啓示」のもとキリスト教的世界観を擁護しうる論法としては意義があった。

これは近代科学的な自然観のもとで造物主がつくった世界を理解するというだけでなく、それまで啓示宗教が命じていた「殺すなかれ」「盗むなかれ」といった規範の正当性を理解することも含意する。それはつまり、キリスト教的倫理というものが決して無根拠というわけではなく、「理性を持った人間であれば誰であれそれを守るべきことは自然の物理法則と同様に根拠がある」ということを論証・確証することを意味していた。そうした**道徳哲学**が求められるようになったのは、ニュートン物理学のような自然科学の勃興があった「近代」という時代の要請でもあった。*3

## †カントの義務論――定言命法と仮言命法

この近代道徳哲学の有名人といえば、やはり一八世紀後半に活躍したプロイセンの哲学者イマヌエル・カント（一七二四―一八〇四）であろう。

造物主たる神がつくったこの世界の自然法則に人間を含めた万物が従わざるを得ないとしても、人間の「理性」と「自由意志」とを認め、それを探究することこそが近代思想全般の特徴である[*4]。

カントにとって、この世界には物理法則と同様に道徳法則というものがある。リンゴが万有引力の法則に沿って自由落下するように、理性的人間であれば自由意志のもとでその行為が従うところの道徳法則というものが存在する。その道徳法則を解明することこそが人間に関する学問ならではの課題であるとカントは考えた。彼をはじめとする近代の道徳哲学者たちは、個々の自由意志の在り方を尊重しつつも、その自由意志と道徳法則によって定められた倫理性とがいかにして両立しうるのか、という問題に取り組んだともいえる。そして、その両立を可能とするものが、欲求や情念を超越した、自律的人間特有の「理性」であった。

カントによれば、規範とは人に「すべし」と義務的要請をするような、いわば命令である。そして、その命令は、「ただ○○すべし」という**定言命法**と、「××であるならば○○すべし」という**仮言命法**とに区分できる。通常、「隣人を愛せよ」などといった宗教的な規範であれば前者の形をとり、「もっと利口になれよ」などといった世渡り的な規範であれば後者の形をとる。その規範が倫理的なものであればそれは当然前者に該当する、とカントは考える。

子どもに道徳を教える場合に「あなたも叩かれたくはないでしょう。そうであるならば、他人を叩いてはダメですよ」というように仮言命法をもって説明されることがあるが、しかし、それは効果的ではあっても本質的な教えではない。というのも、その子がそのまま大人になり、相も変わらずにそれのみをもって道徳規範を守っているとすれば、それはいまだ自律をしていない未成熟な精神性といえるからである。たとえ自分が暴行を受けたり詐欺にあうリスクがなくとも、他人にそういうことをしないという覚悟こそが自律的な人間であって、そうではなく自分に利益があるとき（あるいは損害を避けるとき）だけ損得勘定のもとで道徳規範を守るというのは、生得的な欲求や本能に従う動物のような状態とたいして変わらない（餌が欲しくて

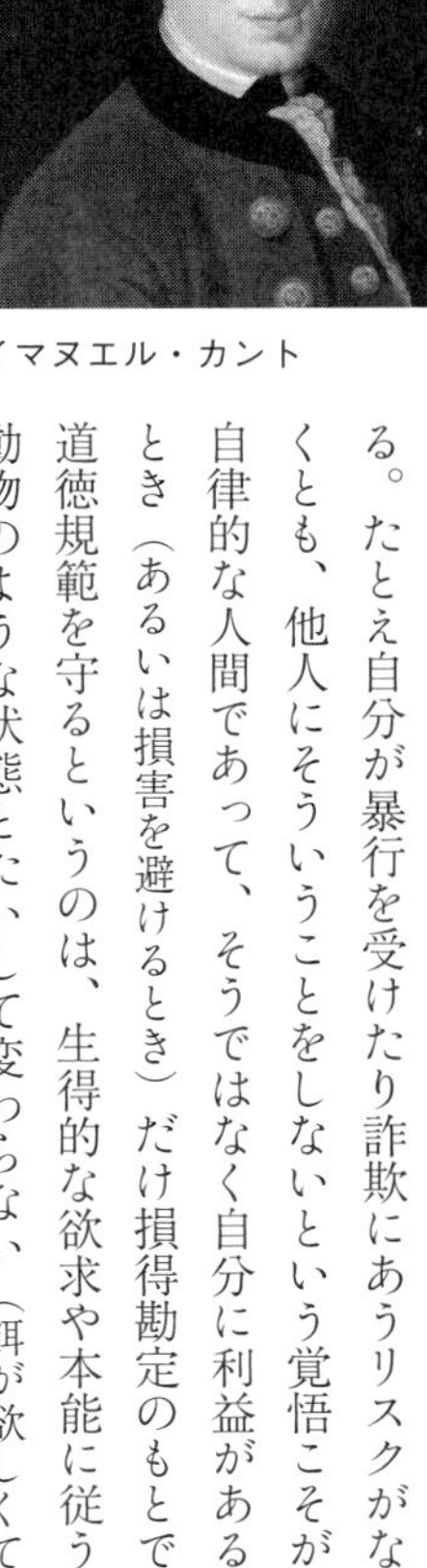

イマヌエル・カント

言うことをきく知能が高い動物でも同様のことができるので）。

ゆえに、自律性と自由意志をもった人のその心のうちにおいて聞くことができる道徳的命令は定言命法である。つまり、理性的人間であれば、とにかく「殺すべきではない」「約束を守るべき」ということを理解できるし、それを遵守しようと動機づけられるわけで、それこそが、欲望に縛られるような動物とは異なる、理性的人間の自由な善意志であるとカントはみなした。現代倫理思想において、彼のこうしたスタンスは**義務論**（deontology）と呼ばれる。

このように、従来は外側の世界からの要請とみなされがちであった倫理的義務が、実は理性的な個々人の内面において成り立っているものであり、ゆえに、キリスト教的倫理――とりわけプロテスタンティズムのそれ――に従うことは、近代理性主義のもとでは不自由などではなく、むしろ自由で自律した在り方であることをカントは示した。これはいわば、旧来の宗教観と新たな近代的人間観との接合といえるものであり、カントの道徳哲学は、従来のキリスト教的倫理観を近代的に再構築したものといえるだろう。

## 2 功利主義思想

## †ベンサムの功利主義

しかし、カントの義務論とはまったく異なる理性主義がイギリスで生まれていた。それは**功利主義**(utilitarianism)と呼ばれるもので、カントのようなキリスト教的な自然法論の延長線上にあるものというよりは、むしろそれとはまったく別のベクトルのものであった。そしてこれは、その後の社会思想に大きなインパクトと影響を与えてゆく。

功利主義の祖であるジェレミー・ベンサム(一七四八―一八三二)はカントとほぼ同時期、つまり「近代」においてその名を残したイギリスの哲学者・法学者である。彼の問題意識は、市民革命を終えて議会制民主主義が発達した近代であっても、人々は旧態依然とした理解しがたい「法」に支配されていたことにあった。貧困問題や公衆衛生といった改善すべき社会問題を放置しながら、その一方で人々に多くのことを禁止し、犯罪者の更生よりも苦しみを与えることだけを目的としたような厳しすぎる刑罰や悲惨な刑務所環境は、社会的には大きな無駄であったし、ときに害悪ですらあるようにベンサムには見えた。

ジェレミー・ベンサム

こうした意識のもと、ベンサムは過去の慣習や宗教的ドグマにとらわれない、近代的理性をもって社会の改革を訴えた。そのためには、誰にとってもおよそ当たり前といわれるような前提から議論を始める必要がある。

そこで、彼が基礎としたのは、「人は誰もが快（その人にとっての善）を求め、苦痛（その人にとっての悪）を避ける」といった基本的事実である。そこから、快を最大限に、苦を最小限にすることが「望ましい」と推論できる。これにより、ベンサムは**最大多数の最大幸福**という原理[*5]に基づくものこそが社会的に望ましい「正しいこと」とする。すると、正しき法とは、直接その声を聞くことができない超越者（神）の命令でもなければ、これまでずっと続けてきただけの（コモン・ロー的な）自然法という権威によるものでもなく[*6]、功利主義的原理に則って理性的に判断されたものでなければならない。

現代において功利主義は経済学や倫理学などでその影響力をふるっているが、そもそものベンサムの思惑は（とりわけ彼の著作『道徳および立法の諸原理序説』では）、不合理な慣習法や自然法を拒絶し、合理的な正しき法や政策を整備することで、社会を幸福にすることにあった。

### †理性による社会改革

こうした功利主義的原理に基づく彼の具体的な主張としては、①死刑などの厳罰主義の否定、②公衆衛生の充実、③刑務所環境の整備（効率的な監視システムも含む）、④平等主義（一人の快苦を一単位とするもの）、⑤動物虐待の禁止（動物も快苦を感じるため）、などがある。これらは、古い保守的な慣習・考え方から解き放たれた、いわゆる「リベラル」な考え方であり、これと比較すると、カントの道徳哲学は伝統的な保守派のようにもみえる（実際、カントは動物の福利そのものを尊重していないし、死刑についても賛同的ですらあった）。

さらにいえば、功利主義は最大多数の最大幸福のために財の再分配や共有をよしとする点で、社会主義的にもなりうる。もし仮に、年収七〇〇万円以上となるとほとんどの人はそこからさほど幸福感が増大しないという一般的傾向性があるとしよう（あくまで仮定の話である）。このとき、年収二〇〇〇万円の人と年収ゼロ円の人がいるとすれば、前者から後者へ七〇〇万円を移転することこそが、最大多数の最大幸福として「正しい」ということになる。これは資本主義や自由競争に伴いがちな格差や不平等を緩和するという意味では、より人道的で社会改革的な立場、いわゆる「リベラル」に近い立場といえるだろう。[*7]

もちろん、こうした功利主義的な法政策については批判もある。カント主義からすれば、功利主義的な規範というものは明らかに仮言命法であって、「最大多数の最大幸福のためだから、我慢してね」というふうに、人間を目的そのものとしてではなく手段として利用する点で、それは道徳法則に沿ったものではない。それに、自然法思想の系譜に連なる社会契約論者ジョン・ロック（一六三二―一七〇四）のように、「私的所有権」「財産権」といった自然権の尊重を訴える立場からすれば、功利主義的な財の再分配は、個々人の不可侵な権利を侵害する、反倫理的なものとみなされるであろう。

ただし、功利主義側にも言い分がある。功利主義からすると、人を殺すことや約束を破ることはこの世界に苦痛（悪）をもたらすという点で不正であるし、ゆえにそれを禁じるルールや法が正しきものとする結論そのものは、カント的な義務論と同様である。もちろん、義務論側は「たとえ功利主義的に正当化されなくても、定言命法として守るべき義務がある！」とさらに違いを打ち出したうえで批判しようとするだろうが、それに対し、功利主義側は「みんなが望まない義務を守ることの倫理的正当性を示すような合理的根拠があるのか？」と再反論するだろう。このように、義務論と功利主義との間には根深い対立がある。

それに、自然権論者が訴えるところの財産権が不可侵であるという前提についても、功利主義からするとそれがそもそも疑わしいという見方もできる。

ベンサム流の功利主義からすると、そもそも「権利」という概念は人間がつくりだしたものである。ある信徒が聖書の教えに「絶対的正しさ」をそこに読み込むがごとく、自然法論者（自然権論者）は財産権に「絶対的に不可侵なもの」という意味を読み込むが、その正しさはあくまでそれを読み込む側の主観的なものでしかない。重要なことは、その社会において何が望ましいとされているかといった「効用に関する事実」であって、それが財産権を保障するルールであればそれを法制度化すべきであるし、財の再分配の方が望ましい（効用が高いという事実がある）のであればそのためのルールを法制度化すべきである。*8

このように、功利主義に関する論争は、経済学や法思想、さらには医療倫理、動物倫理などさまざまなジャンルで繰り広げられており、それは脱宗教化へと舵を切った近代欧米社会において今なお大きな影響力をもった思想といえるであろう。

## 3　世界の理性的発展

### †ルソーの一般意志

さらに、理性主義（合理主義）のなかには、カントの義務論やベンサムの功利主義とは別の流れで（とはいえいくぶんかは関わっているのであるが）、世界をより良く――より理性的なものに――しようとする、近代啓蒙思想がある。それは、ルソーの社会契約論に端を発する「社会革命」の思想である。

フランスのルソー（一七一二―七八）は『人間不平等起源論』において、ロックのような私的所有権の概念こそが社会に不和と格差を生じさせ、人々はかつてもっていた思いやりや共感を失った、と主張する。しかし、すべてを原始共同体に戻すことはできない。では、人間が本来もっていた思いやりや公平感、社会的弱者への共感などが息づいた社会を再度作りあげるにはどうすればよいか？

その答えは彼の『社会契約論』にある。個々人が自分だけの思惑や利益を目指そうとする**特殊意志**に従うのではなく、それぞれが自分自身と共同体とを同一視し、他者を自身の一部に属するかけがえのないものとして互いに尊重し合おうとする**一般意志**に従い、直接的かつ積極的な政治参加という社会契約を行うべきだ、とルソーは主張する。そうした一般意志はまさに理性的人格の意志の在り方であり、各人がそれに目覚めることで自由と平等とが調和する理想的社会が生まれる、とされる。

しかし、いきなり社会成員がそうした一般意志に目覚めることはないわけで、そこには、現状いだいている考え方が本当に理性的なものかどうかを随時反省することが必要となるだろう。

実際、理性の目覚めのもと旧体制を打倒したとされるフランス革命であったが、その実情は、無用な殺戮と略奪、社会的混乱、周辺国との軋轢、ジャコバン派による恐怖政治というもので、ルソーが理想とした平和と平等の社会とはかけ離れたものであった。もちろん、だからといってルソーの一般意志が無意味なわけではない。ただ、自由と平等へと向かう一般意志というものは、理性に目覚めた結果人々が抱くものであって、理性に目覚めるということ自体は一朝一夕でできるものではない。

### †ヘーゲルと進歩的歴史観

理性の目覚めには歴史性が必要であることを論じたのはドイツのヘーゲル（一七七〇―一八三一）である。ヘーゲルにとって、理性とは静的な状態における単なる推論能力などではなく、自らを発見するための能動的知性であり、その働きは弁証法という事物の発展・発達の法則に沿ったものであった（『精神現象学』『法哲学』など）。

反省を通じた自己否定のなか、真なる自己を具体的に把握できるような精神の発達、自由意志の実現プロセスは、「正（即自）→反（対自）→合（即自かつ対自）」と表現されるが、個人も、社会も、そして世界の歴史もそのようなプロセスを内包している。世界史でいえば、盲目的な旧体制がフランス革命によって否定され、その革命も壁に突き当たってしまうが、しかし旧体制に戻るかフランス革命の混乱をそのまま続けるかという二択ではなく、

カール・マルクス

歴史はそれを超克する形でナポレオンを台頭させ、その結果、フランスはヨーロッパの類まれな列強に押し上がった（ヘーゲルはイェーナでナポレオンをみたとき、それを「世界精神」と表現している）。

いずれにせよ、人類の歴史のなかで、理性に目覚め、曖昧なものがクリアになるように、誰もが己の真なる在り方となすべき義務に目覚めるという進歩主義的歴史観がそこにある。

こうした歴史観・世界観を継承したのがマルクス（一八一八―八三）である。『資本論』における独自の商品価値分析で有名な経済学者でもあるが、彼の政治的スタンスにはヘーゲル的な進歩主義的な歴史観が継承されている。もっとも、彼はヘーゲルのような世界精神という抽象的で観念論的な概念を拒絶するし、社会構造の学問的分析もなしに理想的な共同体の建設を試みる当時の社会主義を「空想的」といって批判する。

マルクスは、イデオロギー（虚偽意識）のみをもって社会変革を訴えるのでなく、実際の具体的・物質的な基盤ともいえる生産様式（下部構造）の変革、そしてそれに伴う資本主義体制解体のための労働者の団結と政治的権限を奪取するための社会革命（プロレタリア革命）を訴える。そこには、共産主義社会という理想郷を歴史のゴールと定めた唯物史観をみることができる（『共産党宣言』）。

もっとも、マルクス（およびエンゲルス）に影響を受けたその後の共産主義・社会主義国家では、社会革命の末に打ち立てた政治体制が本来の理念を放棄し、権力闘争に明け暮れたり、社会統治の名目のもと市民を弾圧するなどして、結果として国家運営に失敗したりするケースが後を絶たなかった。

しかし、マクロ的には世界を思うように変えることができなかったかもしれないが、ミクロな状況において、目の前にある貧困や格差、労働者に対する抑圧を解消することで世界をより良くしようとした実績は認めるべきであろう。旧体制（格差社会やそれを生み出す資本主義）を批判し、人々の間に分断と対立ではなく、自由と平等のもとでの連帯と幸福とを実現しようとするその姿勢は、まさに「リベラル」のロールモデルともいうべきものであり、いまなお学ぶべきところがある。

いずれにせよ、アプローチの違いはあれど、それぞれが理性に目覚め、自由を手に入れ、社会がより良くなる、と信じられていた時代こそが「近代」であったといえる。そして、この意味では近代が終わっているかどうか、まだ決めつけることはできないようにも思われる。

【注】

＊1　「哲学」にもいろいろあり、「人はどう生きるべきか」を研究する倫理学だけでなく、知識に関する哲学としての認識論（エピステモロジー）や、言語の限界や意味というものを考える言語哲学、科学とは何かを問い直す科学哲学などさまざまである。

＊2　これと近い概念で「理神論 deism」というものがある。それは「なんらかの神」を理解するためには理性がありさえすればよい、というもので、そうした理性による理解によって、宗教的でない者であっても宗教的な人々が抱く信念を共有できる、と主張する立場である。自然宗教がその理解においてキリスト教の神による奇跡・秘蹟を否定しているわけではないのに対し、理神論ではそれは無意味なものとされ、しかもそこで共有される神概念がキリスト教におけるそれと完全に一致する保証や必然性はない、という点で両者は異なるものである（おおざっぱにいえば、理神論は自然宗教以上に、従来のキリスト教から距離が離れてしまっている、ということである）。

＊3　現代においてはこの道徳哲学（moral philosophy）は倫理学（ethics）とほぼ同じ意味で用いられるが、哲学関連の古典における道徳哲学とは倫理学よりも幅広いものであった。それは、徳の本性を研究し行為を制御する倫理学分野と、権利や統治に関する自然法に関する法学分野という二要素を併せ持つものとされていた。

＊4　もちろん、その個人主義的な理性主義の先駆者といえばデカルトであるが、彼の関心は自然法やそれに連なる道徳哲学というよりは、人間が到達しうる真なる知識とはなにかを追究するような、

いわば認識論と数学にあった。そのプロセスとしてあらゆるものを疑い（方法的懐疑）、偏見（ドクサ）を排して到達した一つの（そして最も基本的な）公理として「われ思うゆえにわれあり」を位置づけ、そこから理性的推論を重ねることで疑いえない学知の体系を構築しようとした。

＊5 「最大多数の最大幸福」の元ネタは、スコットランド啓蒙思想の祖ともいうべきフランシス・ハチスン（一六九四―一七四六）の道徳哲学であるのだが、彼自身は功利主義者ではなく、美的なものや道徳的なものを総合的に判断する「モラル・センス（moral sense）」の理論を提唱した。

＊6 イギリスの法制史においては、慣習法（コモン・ロー）は時代を超えた普遍的正当性をもつものとして自然法と同一視される。ベンサムはそうした常識に反旗を翻したといえるだろう。

＊7 「リベラル」は、「リベラリズム」と重なるところもあるが、そうでないところもあるので注意が必要である。経済政策的な文脈において、個人主義的な古典的リベラリズムは資本主義とそこから生じる格差や不平等（にともなう苦痛の増大）に無頓着な保守派とみなされることもあり、「リベラル」は財の再分配により社会的厚生の増大と格差是正を訴える形で、そうしたリベラリズムを批判することもある。

＊8 個々人の効用や選好を度外視して、それを超越した「法」の概念のもとになすべき義務やあるべき権利を論じる自然法論に対し、実際の人々の効用や選好を事実上の論拠として、何が法で何がそうでないかを論じようとするこうした立場は「法実証主義（legal positivism）」と呼ばれる。こうした自然法論 対 法実証主義との対立は、義務論 対 功利主義の文脈とは別として、時代や社会を超越した「実在する法」か、あるいは「事実的観点からその是非が判定される法」かといった対立図式として論じられる。

第7章

# 現代思想——啓蒙の先にある多様性

近代とは、それまでの盲目的に信じていた宗教や古い慣習から脱却し、変えるべきところを変え、なるべき自分になり、主体的に理想の社会をつくることが期待された時代であった。

しかし、こうした近代の在り方に対し、その理性中心主義や啓蒙思想を批判する動きが二〇世紀の後半に生まれた。これまで近代の基底をなしてきた考え方を批判し、それを乗り越えようとする立場を、本書ではポストモダンの思想と呼ぶ。その先駆けとなったのは、レヴィ＝ストロースらの「構造主義」であり、さらにそこから、ドゥルーズやデリダらに代表される「ポスト構造主義」といった現代思想が展開していく。他方、普遍的な理想を拒絶し、「生き方」を見つめなおす必要を訴えたニーチェやサルトルらの「実存主義」も、ある意味では近代批判とも呼べるものである（実存主義は構造主義によって批判されもするが）。いずれにせよ、近代の理性主義を批判したその先にある現代思想は、理性が導く絶対的理念を疑い、「理性」「真理」の構造を分析・解体することで、それが見落としてきた多様性と差異に着目する責務を負うようになったといえる。

しかし、近代批判を行う現代思想は、何も相対主義や主観主義へと偏っているわけではない。近代思想が見落としていた「理性」におけるコミュニケーション性を発見したハーバーマスや、多種多様な人々の共存のための原理を発見するため、従来の社会契約論を独自の視点から再構築したロールズの正義論なども生まれてきた。ここでは、そうした現代思想のおおまかな流れをみていこう。

## 1 ポストモダン――近代理性主義への批判

### †構造主義による理性批判

ポストモダン思想の先駆け的なものとしては、西洋以外の文化にも「知」「思考」と呼べるものがあることを示そうとした、クロード・レヴィ゠ストロースの**構造主義**（structuralism）がある（代表作は『野生の思考』〔一九六二〕）。西洋的な――あるいはその影響を受けた先進国と呼ばれる国で暮らす人々の――観点からすれば「野蛮」「洗練されてない」「理性的でなく無秩序で意味不明」とみえる習慣や制度においても、その文化が意図するところの目的を達成するような構造があることを彼は指摘した。そこには、近代西洋文化こそが効率的で洗練された理知的なものであるという偏見に囚われるべきでないことが示唆さ

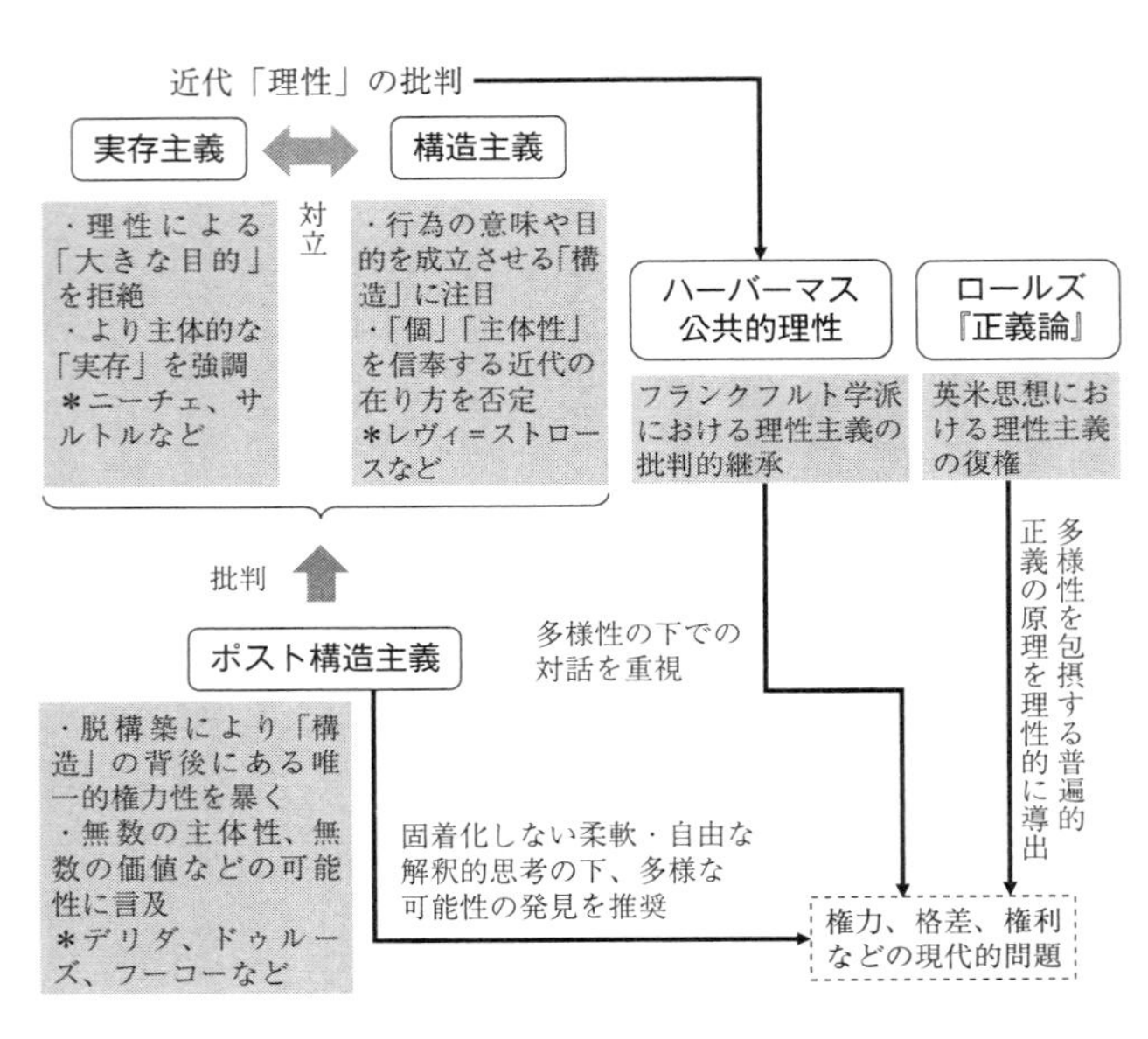


れている。

構造主義の理論的意義は次のようにまとめられる。すなわち、①あらゆる文化の背後には「構造」があり、②そこで意図的に――自由な主体が為すものとして――行われる選択・行為・判断というものはすべて構造依存的であって、③近代啓蒙思想における「理性的で自由な主体」「理性的推論のもとでの普遍的な目標の達成」というものは一種の幻想であり、④「主体」や「行為の意味」の理解には構造分析が不可欠である、というものである。

しかし、近代理性主義的な主体概念の虚構性を暴きつつも、あらゆるものの構造をロジカルに抽出・分析・理解できると考える構造主義もまた、どこかで理性主義に囚われているようにも見えるし、構造が主体のすべてを規定しているわけでもない。さらにいえば、構造がそのうちにおいて生み出す「真理」「理性」というものが暴力性を孕んでいることを見抜き、「主体か構造か」という二項対立そのものを解体することが、近代批判にとって重要であるという意見もでてくる。これも一種のポストモダンではあるが、構造主義をも批判対象としている点では、それは**ポスト構造主義**といえる。

たとえば、フーコーは『狂気の歴史』（一九六一）や『監獄の誕生』（一九七五）において、およそ誰もが当たり前と考えるような「まとも／狂人」「健康／病気」「自由／不自由」などといった区別には、近代理性や真理を標榜する権威側の権力性が隠されているということを喝破した。

そこでは、「社会の幸福のため」とか「より自由な人間になるために」というお題目のもと、個々人にそのお題目に従順な身体であることを強要しており、そこでの人々は、権力が定めた道具的合理性に沿う形でのみ理性的であるとみなされる。かつては権力は監視と処罰によって人々を従わせていたが、しかし、近代以降の権力は規律訓練とも呼ばれる仕方で、権力が定めた目的へと各自が主体的に寄与するよう、人々の考え方を「真理」「理性」といった権威によって方向づけている。

フーコーの思想は、それまで人々が無頓着であった権力構造側のもつ「理性」の恣意性と支配性を明るみに出し、それに無頓着であることに警鐘を鳴らしたという点では、近代理性主義批判であると同時に、構造主義批判であるともいってよいだろう。

フーコーのそれをポストモダン思想に含めるべきかどうかは議論の余地があるかもしれないが、「理性」を標榜する構造の絶対性・普遍性・規範性を批判し、その枠に囚われることなく構造が備える権威を相対化しようとする点では（ポスト構造主義であっても）近代を乗り越えようとするポストモダン的議論であり、ゆえに本書では上記の理性主義批判をまとめてポストモダンと分類している。

### †ニーチェの道徳批判

こうしたポストモダン的な議論の起源は、ニーチェの道徳批判までさかのぼることができるだろう。彼は『善悪の彼岸』（一八八六）や『道徳の系譜』（一八八七）において、倫理や宗教などのさまざまな説教や徳目の根幹には、理性的なものではなく、社会的弱者特有の鬱々とした倒錯的な**ルサンチマン**（怨恨）の痕跡があるということを系譜学的に示しつつ、それら「畜群の道徳」に縛られる意志の弱さを非難した。ニーチェがいうには、自身の運命を自律的に愛せない人間ほどそうしたお仕着せの道徳に――本当はそこに根拠も理由もありはしないのに――価値を見いだして従おうとする（この無根拠性を指摘するのがニーチェ特有のニヒリズムである）。

ある程度の人権意識と平等性が（建前上とはいえ）当たり前となり、キリスト教に命を捧げるような（あるいはそれに殉じる形でしか生の意味を見いだせないような）ルサンチマンを抱えた弱者でもなく、あまりその精神性に影響を受けているわけでもない「大衆」が、意志薄弱なまま従来のキリスト教道徳にすがろうとするところに人間的退廃ともいうべきものがあるとニーチェは考え、そうした群れから抜け出し、自身の一回限りの人生において可能性に賭けて常人ならざる超人を目指すべきだ、と説いた。

フリードリヒ・ニーチェ

これは、普遍性妥当性を標榜する近代理性やキリスト的道徳という指針を拒絶し、自身のなかにある自然的な強さを目覚めさせようという点では実存主義的でありながらもポストモダンの特徴を備えている。あるいは、天命や徳などを推奨する儒教から離れつつ自然への回帰を求めた老荘思想ともどこか似ているように思える（もっとも、ニーチェの永劫回帰などはインド思想の輪廻にも似ており、実際彼は古代インド思想や仏教を評価していたようではあるが）。

## 2 実存主義

### †実存は本質に先立つ

二〇世紀に入り、**実存主義**として名を馳せたサルトルの思想も、構造主義とは異なる方向性をもった近代理性批判といってよいだろう。

近代啓蒙思想の大きな歴史物語においては、個人も社会も、理性が目指すゴールに向かって進んでゆくことが想定されており、ヘーゲルなどの弁証法はそうしたプロセスを示すものであった。ヘーゲルが示したのは、曖昧模糊とした未成熟な確信に溺れやすい自我が、反省と自己否定を繰り返した果てに絶対精神ともいえる自由かつ明晰な状態に到達し、自身が何者で何をすべきかを具体的かつ明示的に理解できるようになる、というストーリーであった。一方、サルトルは人間の生き方や歩み方については同様の弁証法的プロセスを用いるものの、そこで示されるのはヘーゲルとまったく真逆のものであった。

サルトルにしてみれば、この社会においては誰もが誰かとして生まれてくるわけで、そうした即自状態では「あるところのもの」でしかなく、自己の在り方は出発点においてすでに具体的に規定されているものでしかない。そこから「あるところのものでなくあらぬところのもの」としての――いわゆる即自構造の無化のもと――即自である自己を否定する、「対自存在」の可能性を自身が内包していることに気付くことこそが、近代理性主義が見失っていた人間の「自由」の契機である。

しかしそこから見えるのは何かの中身やゴールではなく「無」である。過去ではない、現実に存在（実存）する自身にとって、そうした無がもたらす不安にさらされるのは（実存として生きようとする以上は）むしろ必然であるのだが、だからこそ「人間は自由の刑に処されている」ともいえる（『存在と無』〔一九四三〕）。そうしたなか、もはや自分で自分の人生を決断してゆくしかない賭け（投企）において自身が何者であるのかを示し続けることこそが、実存として常に今を生きようとする人間の姿勢である。

ジャン＝ポール・サルトル

これだけみるとそんな人生は苦しいようにもみえるが、そこには光明も同時に存在する。誰もがその人間存在において未規定であるからこそ、自由の意義と可能性があるわけで、だからこそ自身がどんな人間であるのかは自分で決めることができるのだ。

たとえば、Ａさんは「強い人間」「優しい人間」として生まれてきたわけではないし、周囲からの眼差しのもと「Ａは弱虫だ」「Ａって冷たいよね」という偏見にさらされてきたかもしれない。しかしそれでも強く優しく生きてゆくことで、その人生のなかで「強さ」「優しさ」という性質を備えた人間であることができ、その積み重ねとしての人生においてはそれがＡの生き方の本質であったことになるケースもあるだろう。しかし、Ａさんはそのように生まれてきたというわけではないし、そうなるために生まれてきたわけでもない。だからこそ、Ａさんの強さや優しさには価値があるのだ。

そのようなＡさんの本質は、実存者としてのその都度の決断の上に成立するにすぎず、何よりも先にその実存がある。「実存は本質に先立つ」というサルトルの言葉はまさにその可能性を示しているともいえる（「実存主義はヒューマニズムであるか」［一九四五］）。これは、普遍的に正当化されるような理想を想定する近代理性主義への批判であると同時に、キリスト教的教条主義への批判であり、自分らしく生きることを訴える力強い人生哲学でもあった。

### †構造主義 対 実存主義

しかし、レヴィ＝ストロースのような構造主義の側からは、サルトルの思想は西洋文化独特の「主体」という価値にこだわったものであって、その規範的優越性を訴えようとしている点では、かつての西洋文化が異文化を「野蛮」「不合理」と断じたときと同様のドグマに囚われているようにみえる。

ただし、これについてはサルトル側にも言い分がある。実存主義の立場からすれば、社会構造それぞれが有する目的論的合理性を不可避的かつポジティヴに捉える構造主義には、その構造に囚われることなく自己実現しようとする主体性、そして、自由が拡大してきたその意味や歴史の能動性を認める観点が欠落している、ともいえる。サルトルの実存主義は、「自由」に重きを置きすぎるがゆえに、近代の啓蒙思想に近い印象を受けるかもしれない。その意味では、彼の思想をポストモダンとしてみなしにくいかもしれないが、近代啓蒙思想が不問にしてきた「理性」と「自由」との結合に楔(くさび)を打ち込んだ意義は大きい。不安や可能性といった、自由のいろんな側面を明るみにだしたという点では、やはりポストモダン的な要素があるように思われる。

## 3　ポスト構造主義と脱構築

### †ドゥルーズの思想

ポストモダンの現代思想バージョンはいろいろあるが、ここでは例をしぼって紹介してゆこう。

まず現代思想の代表的なものとしては、ドゥルーズの『差異と反復』(一九六八)、『アンチ・オイディプス』(一九七二)、『千のプラトー』(一九八〇)などがある(後ろ二つはガタリとの共著)。ドゥルーズの言説は多岐にわたるもので、なかなかその特徴を簡単にまとめることはできないが、あえて簡単にまとめるならば、我々の認識の背後に隠された「差異」に着目すべく、表に現れている認識やそれを支える言説を解体する、というものであろう。

およそあらゆる認識や概念は、「これ」と同定的に認める(identifyする)原理によって成立してはいるものの、その背後には唯一無二の実体や概念があるわけではない。近代個人主義にとっては当たり前ともいえる「この私」でさえ、異なる瞬間の異なる現れ方の反復のなかで――実際にそれは同じものの繰り返しではないので、形容矛盾的な「処女的な反復」ともいえるものが意識されぬまま、主体の想像（および創造）において行われる受動的総合ともいう形で――いかなる根拠も与えられることなくロゴスのもとで「私」として記号化されながらその同一性が構築される形で立ち現れている。*1

このことは、我々が「こうに決まっている」とみなすそれがまさにそうである必然性などなく、それが何者であるのかを理解できる無数の観点と可能性がそこにはある、ということを意味している。ある物事やある人間の現れの背後には、無数のなにかがあり、それは当事者たちですら気付いていないケースが多い。主体を動かしているとされる「無意識」ですら、精神分析的言説の枠内でそう解釈されるだけで、その欲望の根源性すらも、ある構造のもとで作られていることがある。「人間とはそもそもXだ」という言説が前提とする構造のなかでこそ、Xは本質的な意味をもつが、その構造が絶対かつ唯一のものであるというわけではない。そこには異なる人間の在り方、さらには個々人それぞれの「その人」の様態があるかもしれない。いや、「その人ではない何か」すらもそこで見えてくるだろう。それこそ唯一ではない遍在するもの（あたかもブラフマンであるアートマンのような様態）を見いだすかもしれない。あるいは、その共同体において有意味な同一化から排除されているようなものが見つかるかもしれない。いずれにせよ、画一的に物事を観ようとするのではなく、構造を批判的に分析・解体することでその背後にある差異を発見することこそが思想の思想たるゆえんである、といえるだろう。

つまり、「理性／感情」とか「本当の／仮の」といったタテ思考的な二元論に囚われることなく、ヨコに広がるような多元的解釈と複数の世界観の可能性をドゥルーズは示唆しているといえる。実は無数の差異をその背後にもつ世界で生きている我々は、普段はその定住的な在り方に埋没しながらその可能性に気付きもしないのだが、目を凝らせば、遊牧民のようなノマド的在り方の可能性が開かれていたりもする。ゆえに、偏執的なまでに同一的・画一的な仕方で評価されたり理想化されるような「中心」「目的」にわざわざ囚われる必要はない、ということになる（囚われるのもいいが、それは選べる可能性のうちの一つにすぎない）。

### †デリダの音声中心主義批判

もう一人の現代ポストモダン思想の代表格であるジャック・デリダは、西洋哲学に伝統的に継承されてきた**音声中心主義**と**ロゴス中心主義**を批判した。音声中心主義とは、その語り手の「話し言葉（パロール）」において想定される真理性こそが唯一無二の正解を与えている、とする立場である。これは西洋の伝統的な「理性／反理性」「真／偽」といった二項対立構造を支えているものであるとして、デリダはそれを批判する。

音声中心主義が想定するのは以下のことである。話し手が語ったことは、ロゴス（言語・論理）を通じて、記号としての「書き言葉（エクリチュール）」をもって不特定多数の読み手に与えられる。パロールとエクリチュールとを結びつけるところのこのロゴスに従うことで、理性的人間であれば誰もが話し手が語ろうとした意味内容、すなわち「真実」に到達できるとされる点では、これはロゴス中心主義とも重なる点がある。しかしここには、聞き手はその記号的現れであるエクリチュールを通じて、読み手として正しくそれを理解することで「語られた真理」に到達できるしそうすべきである、という規範的意味が付与された神話的想定がある（あたかも、プラトンが語った「イデア」や、イエスが語った真理のように、まともな人間であれば誰もが等しく同様に到達できるし、そうすべき、というように）。

こうした音声中心主義の構造のもと、「真理」「知」「正しさ」の権威は成立している、とデリダは指摘する。このことは従来の宗教だろうが、宗教を理性によって批判してきた西洋哲学であろうが変わりはない。だからこそ、「あの偉大な神・預言者・哲学者は、こんなつもりで主張しているのに（その真理的主張が文字記号としてテクストに書かれているのに）、あなたはその意味を捉え損ねており、したがって間違っている！　反省しなさい！」というような権威的批判・批評が幅を利かせることになる（宗教だろうが文学だろうが哲学だろうが）。

そこでは、そのパロールの意味をきちんと捉えている側が「真理」であり「権威」であって、その捉え方を逸脱するのは「矯正されるべき間違い」となる。ここに「パロール／エクリチュール」という階層的二項図式による音声中心主義（パロール優先主義）の権威性が成立しているわけである。

デリダ的にいえば、そもそもこの図式自体が、権力構造を巧みに隠蔽した特定のロゴス（そしてその論理に従った解釈可能性をその内にいだくエクリチュール）を駆使する側によってつくられ権威付けされたものである。それは、真なる唯一のパロールとして意味内容をそのように同定すべきとその枠組みにおいて規定することで、従来の真理観を成立させているにすぎない。よって、その構造が根源的かつ絶対的なものではなく、その制約の外側の可能性に気づけるかどうかが、無思慮で抑圧的に真理性を押し付けてくる「理性」の権威主義的な暴力性を乗り越えるための鍵となる。

この観点からすれば、レヴィ＝ストロースの構造主義ですら、その分析自体が当該対象を「野生」と捉える論理によって規定されており――たとえそれが西洋文化に軽んじられてきた非西洋文化の魅力や長所を示しているにせよ――、そこで描かれる「野生の思考」

そのものが固着化した真理概念として機能するがゆえに、実際にそこで生きている人々の背後にある多様性、そして、その人たちがそうした言説の枠を飛び越えて実現できるような（あるいはすでにしてしているような）可能性を見えなくしてしまっている、ともいえる。

### †ポストモダンは何でもあり？

このように、「真理」「理性」の名のもとで画一化された真理概念の構造やそれが前提としているものの正体を暴き、その限界を露呈させ概念を揺さぶりつつ新たな可能性を示すアプローチを**脱構築**（deconstruction）という。これを行いながら、ある事柄や研究、さらには文学作品、自我や他我などの新たな解釈可能性を探る必要性をデリダは提唱した。

こうしてみると、近代理性主義においては理性や真理概念と結合していた「自由」が、ポストモダンにおいてはそこから乖離し、理性どころか何者にも囚われることのない「自由」の可能性がどこまでも広がっていくような感もある。

もっとも、そのように際限なく拡張されてゆきそうな「自由」こそが問題となることもあって、デリダのようなポストモダンやポスト構造主義に対しては、「真理なんてどうでもよいのか？」とか「きちんと特定のコンテクストで解釈して想定された真理を把握しようとすることを放棄するのか？」とか「もはや何でもアリで学問とはいえないのではないか？」とか「単なる相対主義ではないか？」とか「そもそもポストモダンは何か明確な主張をしているのか？」といった批判や非難がなされやすい。

もちろん、ポストモダンや脱構築の名ばかりを借りて、きちんとテクストや物事に向き合おうとしなかったり、「なんでもいいさ。自由って囚われないことだろ」と居直っていい加減なことを主張するのはよろしくないだろう。だが、従来の言説やその在り方を相対化したり、その構造とは別の、構造に囚われない可能性に目を向けることで何かを見つけようとするその姿勢はまぎれもない哲学であり、新たな何かを模索するような「まだ到達していない知を愛する」スタンスともいえるだろう。「理性的かどうか」とか「正解かどうか」ということに——古代ギリシア以降から——囚われやすい我々人類にとって、新たな発見へと導いてくれるようなヒントを、こうした現代思想は与えているのかもしれない。

## 4 理性主義の復権と現代正義論

### †「理性」の再検討

さて、ポストモダンやポスト構造主義の台頭により、理性主義（合理主義）というものは衰退してゆくかにみえたがそうではなかった。理性主義のなかにもそれまでの「理性」概念を検証・批判し、新たな捉え方をすることでより良い生き方、より良い社会が可能となると主張するような、バージョンアップされた理性主義も現れた。

そのきっかけは、ナチスの台頭に関する考察のもと啓蒙主義批判を行ったフランクフルト学派であった。その初期を代表するアドルノとホルクハイマーの共著『啓蒙の弁証法』（一九四七）では、理性の時代といわれた近代啓蒙思想における「理性」が支配を志向する傾向をもっていたことが指摘されている。近代啓蒙には、目的論的支配のもと、思考や行為における個々人の主体性を（本人の自己意識とは裏腹に）希薄化させ、権威によって正当化された価値をもつ――理性が定めたとする――同一的な目標へと向かわせる暴力性が内在していた、と彼らは考えた。

フランクフルト学派第二世代のユルゲン・ハーバーマスは、「理性」本来の特徴とは、そうした同一化を志向するものではなく、むしろ異なる人々同士の存在を前提としたうえでの対話を可能とするようなコミュニケーションの基盤であると位置づけた（『公共性の構造転換』〔一九六二〕、『コミュニケーション的行為の理論』〔一九八一〕）。いわゆる**公共的理性**である。たとえば、理性のない動物であれば情動と暴力性のもとで異なる相手（異者）を屈服させようとするであろうが、理性的人間であれば、異なる言い分をする人であっても人格として尊重しつつ議論・討論を重ね、適度な距離を保ちつつ社会的共存を果たすことができるであろう。

こうしたハーバーマスのスタンスは「討議倫理学」と呼ばれるものであるが、それは、人間であれば公共的コミュニケーションに不可欠な理性を行使することで、多様性と寛容さを含みつつ実りのある議論がなされるような政治社会を構築できる、とするものである。

### †ロールズの『正義論』

また、アメリカでは別の角度から理性主義の復権がなされようとしていた。ジョン・ロールズはその著『正義論』(一九七一)において、従来の社会契約論の再構築を行った。所与の状態から個々人それぞれが理性を駆使したところで、そもそも思考の出発点が異なるがゆえに社会的正義へのコンセンサスは得られにくい。そこで**無知のヴェール**という概念装置を用いて、自身がどのような立場になるか分からず、その嗜好(選好)すらも不明であると想定すれば、将来の自分(同時にそれは今の自分にとっての他人)がどこに位置したとしても困ることのないような社会制度、ならびに、最低限度の権利保障(自由と平等)を望むであろう。

そこで、理性的な人々は正義の二原理[*2]を採択することに同意することになり、「理性」

によって導出された原理を組み込んだ社会は、個人の自由や公民権、そして財の再分配による社会保障制度などをバランスよくそなえた正義社会となる、というプロセスを示した。

## †共同体主義からの批判

しかし、**コミュニタリアニズム**（共同体主義）はロールズのそうした理性主義に疑問を投げかける。有名なのはマイケル・サンデルの批判である。ロールズの無知のヴェールのもとで正義の二原理を採択する合理的諸個人は、価値中立的な選択をしているかのようにみえるが、現実にはそんな選択主体は存在せず、あらゆる個人はその文化的・歴史的バックグラウンドの影響下でなんらかの選択を行うことしかできない。

つまり、ロールズの社会契約論は普遍的妥当性をもっているかのようにみえてそうではなく、正義の二原理の価値を認めるとしても、それはロールズ的な（そして欧米的な）文化に埋没している諸個人が無知のヴェールを被って導き出した一選択にすぎない、ということである。もしイスラーム文化圏の人が無知のヴェールのもとで正義の原理を導き出せば、おそらくはロールズのそれとは異なるものがでてくるであろうが、ではロールズのそれが、イスラーム文化圏のそれよりもより公正であるという保証はどこにあるのか？

そもそも、多種多様な文化の共存のため、政治的問題を価値中立的に取り扱わねばならない、などということはない。「妊娠中絶を認めるべきか」「その学校の校則のもと女子学生はブルカを被るべきか（あるいはそれを禁止すべきか）」といった問題は、まさにある共同体の文化的慣習の是非が政治の場において問われているのであり、そこに参加する当事者たちは無知のヴェールを被ってみんなが同じ答えに到達するような価値中立的参加者ではありえないし、そうでないからこそ異なる人々が集まって交わす政治的議論には意味がある、とサンデルは主張する。

それに、同じく理性主義者である前述のハーバーマスも（実際はロールズを認めているにしても）、ロールズが想定するそのような同一化へと向かう理性の志向性には警鐘を鳴らしている。近代理性主義への批判と反省から生じた現代思想においても、互いが互いをある面では認めながらも別の面では対立するということは珍しくはない。しかし、こうした状況それ自体が、近代の画一主義的な啓蒙の時代を乗り越えた、現代ならではの思想の多様性を表わしているようにもみえる。

【注】

＊1　こうした同一性批判のオリジナルは一八世紀のスコットランド哲学者デイヴィッド・ヒューム

にみられる。実際、ドゥルーズのヒューム論『ヒュームあるいは人間的自然――経験論と主体性』にはのちの『差異と反復』につながっていくような議論もみられる。

＊2　無知のヴェールのもと理性によって導出される正義の二原理とは、「自由原理」と「平等原理」の二つであり、辞書的優先度としては前者が高いのでロールズのそれは「リベラリズム」に分類される。また、後者はさらに、格差原理と機会均等原理に分かれる。

# おわりに

## 1　思想の比較から何が見えるか？

### †思想を学ぶ意義

さて、ここまでは古今東西のいろんな思想をみてきた。それがただの情報の羅列以上に、歴史を掘り返しつつ比較する意義があるものだとすれば、そうすることによって何が見えてくるのだろうか。

まず、そこには「文化」というものの同一性と可変性があることが分かるだろう。これまで述べてきたように、同じ国、同じ文化圏であっても、異なる思想同士が出会い、互いに刺激や影響を与え、ある部分では融合したり、共通点をもったり、あるいは敵対的な形でアイデンティティを形成するに至ったということがある。同定的・固定的に「〇〇文化とはこれだ！」と語ることはとても分かりやすいし、ある特定の時期・時点に関する言い方としては正しいのかもしれないが、しかし、文化というものは——それこそあらゆるものと無関係な自我などないように——他文化の影響を受けているものであるし、これから別の文化へと影響を与えることもある。

だからこそ、自文化の純粋性に固執しすぎるあまり異文化からの影響を排除しようと躍起になったり、新しい考え方や表現をむやみに抑圧しようとするのは、文化の可変性と可能性を理解していないがゆえの愚行、といえるであろう。日本文化はたしかに日本人のアイデンティティや思想を形作ってはいるが、しかし、それは日本が他国と交流し、他の思想を受け入れ、自分たちの血肉としてきたからであって、決して排他的に取り扱ってきたからではない。我々日本人が多面的価値観をもち豊かな世界の見え方を享受できているとすれば、それは日本人という特性のみによってそうなのではなく、異文化を敬い、尊重し、共存しようとしてきたからこそそうなのである。それを忘れてはならない。

### †思想の可能性と可変性

それに、漢字から「かな」ができたように、文化とは次第に変化し豊かになるものでもある。文化のアイデンティティを保持しようとするのは大事であるが、しかし、それにこだわるあまり、その文化内で生きる人々の実情を無視したり、そこに秘められた可能性を抑圧すべきではない。

だからこそ、文化に根ざした思想というものは、「凝り固まった考え方」というものではなく、人々の可変性・可能性を内包するところのソフトウェアともいうべきもので、それ自身も当然アップデートの余地がある。

宗教や思想は、人々を唯一の状態に縛り付けるものでなく、アイデンティティと安らぎを与え、そして同時に、そうであってもそこからさらにいろんな生き方へと繋がることを許すようなもので、それは人々を不幸にするのではなく、多種多様な形で救済するものなのである。

## 2 制約としての思想

### †思想における規範性

しかし、「思想」とはあるトピックについて論じたものであり、当然そこには明示的にせよ暗示的にせよ、なんらかの主張があるはずである。そしてその主張とは――たとえ一元的な理性主義を否定する現代思想といえども――なんらかの規範性（あるいは控えめにいって妥当性）を備えているわけで、どう生きるべきかまではっきり言っていなくとも、「どのように物事を考え、振る舞うべきか」を示唆している。つまり、それが「○○すべき」という規範的主張を含むということは、そこには（支配そのものではないのだが）支配の萌芽があるわけで、「善と悪」「救われる者と救われざる者」「賢者と愚者」「真理と虚偽」といった取捨選別的な二項対立図式のもと、そうであることを暗に突きつけているともいえる。

それに、聞き手の側も、文化的思考様式からは完全には自由ではありえない。人はその文化のなかで生まれ、成長してゆくなかで、対話や読書などを通じて、ある言葉や教えの意味内容を把握してゆく。そして、その過程において、そこでの「思想」に宿った権威がさらに固着化・強大化してゆくのはある意味必然ともいえるだろう。

「思想」を本当の意味で「自分のもの」とすることは難しい。難しいからこそ、他人を巻き込み、思想的権威を探してその側に立とうとして、争いや不和、偏見や見下しが生じる。イエスや仏陀に暴力性があるとは言わないが、それが「思想」として人々に共有されたあとでは、実際に「救われる者／救われざる者」「悟りを開く者／悟りが開けない者」という区別がなされ、「我こそが真理に触れた者である！」とばかりに、異者を見下したり排除したり、あるいは屈服させようとする派閥が登場したし、互いにそれを行うなかでさらにいくつもの派閥や宗派が現れ、政治的闘争や排除、弾圧にまで発展することさえあった。しかし、それは本来の理念からズレてしまい、その本質を見失ったイデオロギーでしかない。

そうしたイデオロギーであっても、飾りとしては魅力的であるし、ときに生きる力を与えてはくれるが、我々はそれをもって他者を選別し、序列をつけるような危険性には敏感であるべきだろう。これは本書で紹介したような各種思想だけでなく、そこらへんに溢れかえっている教訓や人生訓、自身が常識と信じている知識や教養なども同様に——その魅力もあわせつつ——抱えているところの危険性でもある。もちろん、この危険性を訴えて気を付けることを提唱するここでの私の主張でさえも、それが「分かっている人／分かっていない人」というように他者をランク付けする方向に向かった瞬間、それは暴力性を宿す「思想」となりかねない。

おそらくは、仏教的な禅や「空」の思想の本懐とは（あるいはニーチェの思想なども）、この暴力性を捨象し、その思想のなかで純粋に生きてゆくことなのかもしれない。そしてそこにこそ、世俗的な成功や幸福を超越した「悟り」の境地があるのだろう。

他者や体裁を気にすることのない涅槃ともいうべき安寧や悟りの境地は、他人に言葉の刃（あるいは鎖）を向けることなく、自分自身にのみ意義がある「すべきこと」をその心のうちに留めている状態といえるだろう。そして、人々を救済するための「本来の思想」とは、その状態をそれぞれが個々に奇跡的に共有することなのかもしれない。本来の説法とは、その可能性を確認するためにあるのであって、それを強いるためにあるものではない。

しかし、この奇跡を信じることができない人は、どうしても自身が考えることの素晴らしさを言語化して他者へ説明しようとするが、それは、自分がみえている「色」をつけて他者の眼にそれを映そうとする（あるいは「音」をつけて他者の耳に届けようとする）ことであり、それをした途端に、ある種の社会的主張を内包した世俗的な「思想」として受肉してしまう。

本来、思想とは苦しみの中に希望を与え、蒙昧や思い込みに光を当てたりするものであるのだが、その秩序性ゆえに、秩序化しえないものや秩序化を拒む者に「害悪」「悪徳」「不合理」というレッテルを貼ってしまいがちである。それはちょうど、強い光で照らしたモノの背後に濃い影ができるように、ある思想によって善しとされる事柄は輝くものとされる一方で、そうでないものは否定的評価を受けるようなものである。ある思想が権威性をもったイデオロギーとなる場合、それが提示する社会規範などに囚われない個々人の自由な生き方にまさに「影」を落とす形で、それを否定したり禁じたりといった形で抑圧的に働くことがある。

これはなにも社会的抑圧というだけではない。その人自身が特定の思想の価値観や考え方に囚われすぎるあまり、分かりやすい「色」がつけられた答えにすぐにすがろうとするとき、いまだ色がつけられていない自身の可能性に勝手に「影」「闇」を見いだしてしまって、自分自身の一回限りの人生と向き合うことを放棄してしまうこともあるだろう。

もちろん、社会で生きる以上、なんらかの社会思想やイデオロギーへの対応や受容は必要なのかもしれないが、しかし、本来の思想とは、社会一般からは分かってもらえそうもないような個々人の人生にも救いがあることをみつけ、それぞれが抱えていたものを「知」として掬(すく)いあげる(あるいは救いあげる)ものであったはずである。だからこそ、この世界にはたった一つの思想だけでなく複数の思想があって、それぞれが誰かを励まし勇気づけ、そしてそれぞれが時代に応じて独自の変化・分化を遂げて、現代まで人々の心になんらかの痕跡を残し続けているのだ。

イデオロギーに囚われることなく他人とは異なる「この自分」の生を見つめ、しかし、先人たちの知恵で借りられるものは借りつつ、自分（たち）らしく生きてゆくことのなかに光を見いだす人こそが、思想をもって生きるということの本来の在り方であるし、そしてそこにこそ「自由」というものがあるだろう。

## 3 「自分の思想」をもつということ

### †埋没のなかからの目覚め

では、規範性とともに暴力性や支配性をそなえた「思想」ではなく、自由に、しかし、なんらかの指針のもとで生きるためにはどうすればよいのだろうか？　そもそも、それはどうやって見つけられるというのだろうか。

その問いに直接的に答えることはできないが、ヒントとなる考え方がある。それは、ハイデガーの『存在と時間』における「現存在」と「死」という概念である。

我々は現にここに存在しているわけであるが（現存在）、それが「我々」として生きる限りにおいては、「世界内存在」として生きている。そこでは、有意味連関とも呼べるような、それぞれがそれぞれの意味を規定される形で――ある意味では、それぞれの現存在たる他者から道具的な形でその在り方を決められつつ――誰もがその日常に埋没しがちな状況にある。

それはイエスであろうが仏陀であろうが同様であったはずで、信者からは「神」であったり「救世主」であったり「教祖」と決めつけられているわけで、それにかかわる人々はみな「信者」「異教徒」「無神論者」などという意味づけがなされる。何かへの信奉があるということは、その何かの枠組みにあらゆるものが規定される、ということである（信徒、異教徒はもちろん、その教祖さえも）。

これは別に宗教や哲学でなくとも、人が社会のなかで生きてゆくことにおいてそのような関わり方はある意味では不可避なわけで、互いに配慮し合っているときにでも、その配慮が向かう相手の存在意義はそこでは確定的なものとなっており、なんらかの目的（親交を結ぶ、ビジネスをする、とりあえずの近所付き合いをする、など）に寄与するものとされる。しかし、そこでは自身の、そして相手の現存在性すらもその有意味性に浸食されており、それぞれは「世人」という在り方において生きているにすぎない。その世界内において、誰もが「誰かにとっての誰か」「何かにとっての何か」でしかなく、開かれた世界へと足を踏み出せるような現存在の本質は見失われているといってよい。

## †不安という契機

しかし、そうした日常のなかで見失われている現存在の本質に目覚める契機がある。それが「不安」であり、その究極が「死」である。それはいつかは定まってはいないが確実なものであり乗り越えられない可能性であり、この私にとっての外部でもあるが、その可能性を先駆的に引き受ける「覚悟」こそが、現存在としての全体性（生の全体）を実存的に先取りする契機ともなる。

つまり、死を意識することで残された「この私の生」を意識できるようになり、そこでは、他の誰のためでもない。まさに私にとってのこの私（現存在）の在り方こそが関心の中心となる。それは世俗的な有意味性との断絶の契機でもあり、他の誰が何を思い、どんな予想・期待をしているかなどとは無関係に、「この私」が「残されたこの私の時間」で、「この私として何をするか」が中心的問題となる。そこにこそ、現存在がそこでまさにこの現実を実際に生きるという「実存」への拓かれた道がある。

「現存在が実存するとき、現存在はまたこの〈死という〉可能性のなかに投げ入れられている」とハイデガーはいうが、それは、私の「死」が、他の誰かとは入れ替え不可能なものだからである（私にとっての私の死は唯一のものである）。だからこそ、私が自身の死を覚悟したとき、他人の死を予想したときとは異なる自身の生の可能性が姿をみせる。

自身の死を意識することは、単にそれが悲しいとか喪失ではなく、世界と切り離される孤独の現れであり、その残された時間において「何をすべきか」「どう過ごすべきか」という問いは、まさに世界に唯一的な今を生きる自分自身に向けられる問いでしかない。その「今このとき、この私は、この私に与えられた限られた人生において何をすべきか」といった、誰も答えを与えてはくれない課題に対して現存在として向き合うことになるのだ。

### †残り時間を意識する

こうしたハイデガーの教えから学べることは、「残り時間」を意識することだと私は思う。いつかは終わる定めなのに終わらないかのようにそのありがたい（まさに「在り難い」）時間をダラダラすごし、時間切れになって悔やむような生き方はもったいないような気がする。もちろん、後悔はどんなときにでもするし、逃した可能性、失った利益（逸失利益）に眩暈もする。それを我々は分かっているからこそ「後悔しないように生きよう！」と自らを励ましたりもするのだが、そのわりには同じことを繰り返してしまう。「歴史は繰り返す」というのであればまあそんなものか、と割り切ってもよいだろうが、一回限りの「自分の人生のかけがえのない瞬間や限られた時間」は繰り返さないし、そう割り切れるものではない。

中学時代は中学生のときだけしかありえない、高校時代は卒業したらそれを本当の意味で繰り返すことなどできない（マネゴトはできても）。それは、この現在が明日になれば失われてしまうことと同様である。普段それに我々は無頓着であるが、積み重なって振り返るその後悔のなかで気付いたときにはすでに手遅れである。だからこそ、「時間の終わり」（その究極が「死」であるのだが）を意識して、そこまでにいくらかある可能性を引き受けつつ、一回限りのその時その時を自分の意志で生きようとする覚悟こそが、「自分自身の人生」を生きるための実存的契機となるのだ。

もちろん、そこでのスタンスや決定した選択が社会的に賞賛されるものとなるとは限らない。「せっかくだから享楽の限りを尽くそう」と考える人もいれば、「残された時間、まだ知らない場所に行きたい」と旅行にでかける人もいるだろう。あるいは、「今しか勉強できないから勉強しよう」という人もいるかもしれないし、「大事な人と過ごしたい」という人もいるだろう。

答えは一つではないし、そもそも答えがあるものかどうかすら分からない。分かっていることは、自身の唯一の人生（時間）においてなにをすべきかの規範的指針こそが「自分の思想」といってもいいものだということだろう（もちろんそれは単なる欲求とは異なるものである)。啓示を受けた真の信徒とはそうしたものであるのかもしれないし、そうした信徒はそのような形で自身のうちに信じる者と向き合うことによって救済されるように思われる(宗派や教会といった外部を気にするのではなく、自分自身において神と向き合う、など)。

## 4 生き方としての「行」

### †生活のなかでの「行」

そうであれば、限られた時間のありがたみを噛みしめてさえいれば、そこにおいて壮大な目標や厳格な規律などがないとしても、目の前の日々の生活に集中するその在り方そのものがその人にとっての「行」となり、それ自体が生きる指針を示すようになることもあるだろう。

漁師は漁師人生のなかで船を出して魚をとって売りさばき、町医者は地元のお年寄りを診察し、さえない大学教員はあまり見向きもされない本や論文を書く。たとえ一週間後にこの世界が終わるかもしれないとしても、相変わらずそれをやり続けるであろう。それらの振る舞いは、何かに向かってはいるがそれが何かを実現するかはまた別の話であり、しかし、惰性でやっているわけでもない。その人たちにとってのその残りの時間を使った「行」であり、そこには、それ以外の選択肢にはない何かがある。カルヴァン派における「職業人」も、おそらくは同様に、そうして仕事に専心することで救済が約束されているのではないだろうか。

人はそれぞれ限られた時間のなかで常に何かの終わりに向かって——極端にいえば死に向かって——生きざるをえない。その究極においては、「どう死ぬか」という問いが「どう生きるか」と直結することすらある。たとえば、誰かを助けてかっこよく死ぬということは、誰かを助けて死ぬというかっこよい生き方をするということである。

その生き方が自身にとっての当たり前の繰り返しとしての「行」であるとするならば、いずれ終わるその人の終わり方は、きっとその人の生き方となるはずである。大事なことは、そうやって生き、そうやって死んでいってよい、と思えることを日頃から実践しているかどうかである。そうした「行」の人は、世俗的な意味連関を超越した実存として今を生き、そしてその「今」を積み重ね続けた「人生」を生きているといえる。そう、充実しているのだ。

誰もがみんな「自身のとっての行」をもちうる。一生懸命生きてゆくなかで、いつしか人はそれを身に付け、それがいつの間にか生き方そのものとなってゆくだろう。

しかし、もしまだそれをもっていないとするのであれば、そして探してみようとするのであれば、私からいえるのは、偏見や見下しから心を自由にして、世界を見つめ、己を見つめてみるべき、ということである。そうする以前には憧れていたものが実は虚飾であることが分かり、そして、くだらないようにみえていたものがそうでないように見えることもあるだろう。その認識の変化が、自身のこれからの「行」に関するなんらかのヒントを与えるかもしれない。

## †間柄で生き、そして自分らしく生きる

ハイデガーから影響を受けた和辻哲郎（一八八九―一九六〇）は、現存在が個々の存在者に出会いうる背景には世界が開かれていることがあり、そこでは「誰かとの間柄」においてて自己が存在していることを指摘した（いわゆる間柄的存在としての人間）。そこでは誰もが、規定性・秩序性・倫理性を内在する間柄のもとでの「誰か」であるわけで、ここから目を背けて「自分は世界において独立した人間だ」と考えるのは近代合理主義の産物である個人主義的自我でしかない。

もちろん、その間柄的関係に埋没することなく、そこを出発点として己の時間を引き受

けながら現存在として生きることに大きな意味を認めてよいのだが、その出発点においてそもそもの在り方を見失っていては、足場なくして跳ぼうとしているようなものである。今の自分の立ち位置、思考、価値観が世界においてどのように規定されており、誰との繋がりのなかで生きていて、そこからどのような可能性があるのかを理解する必要がある。好きに生きるとしても、それが誰を傷つけ、誰を不安にさせ、誰を悲しませ、そして、誰を喜ばせるのかを理解したうえで自身の思想のもとで生きることこそが「覚悟」であって、そこから目をそらして「よし！　自分だけの人生を生きてやる！」というのは、単なる理想主義や反動主義、あるいは幼児退行的な利己主義にしかなりえない。

まずは自分と周囲を知り、この世界を知り、人間関係や社会の構造を学び、そこで学びつつ感じたことを踏まえて今を生きてゆくべきであろう。だからこそ、本書においては、そのヒントとなるようないろいろな宗教思想や哲学思想を紹介してきた。

大事なことは、先入観や偏見から、世界を、他者を、そして自身の人生を決めつけるべきではないということである。もちろん、可能性は無限などではない。人生の可能性は有限性のもと制約されてはいるが、しかし世界にはいろいろな可能性があり、それを見る人ごとに、さまざまな色がみえるはずである。くだらないと決めつけているもののなかにも感動があり、そこに殉じる意味もあるかもしれない。

たとえば、ある人々たちからするとウイスキーというお酒は汚らわしく野蛮かもしれないが、美味しいウイスキーをつくることに人生を賭ける人もいて、その人生の意義はその人にしか分からないかもしれない。しかし、その人にとっての人生の輝きは確かにそこにはある。野球三昧の人生を過ごし、他にはなにもしていなくとも、そこからみえる景色の美しさはその人にとっては格別なものかもしれない。

同様に、宗教や哲学なんて時代遅れでかっこ悪いようにみえるし、それで金持ちになれるわけでもなければ社会貢献もできないかもしれないが、そこにはいろんな発見や驚きが隠されているかもしれない。何を選ぼうが自由であるが、まず出発点において心を「空」にして世界をそこに映さねばその自由は手に入らない。

願わくは、さまざまな色や音の可能性に溢れるこの世界のなか、誰もが自由に自分自身の思想を獲得し、それぞれの美しい景色のなかで日々の「行」を過ごしてほしい。この願いが、どのような思想に分類されうるものかは分からないけれども。

# あとがき

昨年、父が他界した。半年近く寝たきりとなっていたので覚悟はしていたのだが、その時が訪れるとやはり悲しかった。もっとも、死んだら終わりというのはその死んだ人だけであって、死を前にして私や家族はその死を取り扱う仕事が残っていたのだが、幸いなことに(?)、うちは浄土真宗であり、母はかつてその仏教系保育園に勤めていたこともあり(私もそこに通っていた)、その伝手でお坊さんを読んでお経をあげてもらい、火葬して遺骨を壺に収めた。

正直いえば、私はこんな本を書いているくせにあまり熱心な宗教者ではなく、しかも西洋哲学を専攻していたこともあって(さらにいえば無神論者で懐疑論者とかつて世間に叩かれていたデイヴィッド・ヒュームについて研究していたこともあり)、仏教にそこまで思い入れはなかった。しかし、大事な人の「死」という断絶に直面したとき、どうすればよいのか途方に暮れる人のための道を用意してくれている宗教は必要なものなのだとそのとき悟った。真の断絶に直面して身動きがとれない人にとって、どんな弔い方をすればいいかとかなど選択しようがない。買い物をするかのように、宗教Aと宗教Bを比べて、宗教Aの弔い方を選ぶようなことは、大事な人の「死」においては（少なくとも私は）できはしないので、「こういうときはこうするもんですよ」と教えてくれる仏教のありがたみが身に染みた。

本論では、教えに「色」がついて、人々を画一化しようとする思想の暴力性を指摘はしたが、だからといって、どうしようもない場面や取り返しのつかない断絶に直面したときの振る舞い方を教えてくれる宗教思想そのものにそのような暴力性があると主張しているわけではない。もちろん、それが政治権力や派閥的勢力と結びつくと暴力性を帯びてしまうのだろうが、教えは教えとしてありがたいものである。そのことを今回は身をもって経験した。

こうした私の成長（あるいは認識の変化）は、「死」を契機とした父との決定的断絶がもたらしてくれたともいえる。しかし、やはりその断絶は苦しいものであるし、「悲しい断絶だけど、でも○○をもたらしてくれたので意味があった」というわけでもない。この断絶は、他のいかなる断絶とも異なり、そして何かを得られるような道具的な機会でもないし、目的論的な意味などもない、教訓や意味づけなどに還元できない、唯一性をもった決定的な別れであった。この世で唯一の、一回限りの断絶では、たとえそこで何を得ようとも、泣くしかないのである。

世の中にはそうした唯一無二の断絶がたくさんあるはずだが、日常においてはついそれを忘れがちとなり、同じことの繰り返しという意識のもと、感受性が鈍麻していることもある。たとえ、「でもいろいろ知ることができたよ」とか「勉強させてもらった」とか「私、他の人よりもいろんな経験をしてるから」というようにそれら断絶の繰り返しの有意義性について語るとしても、それが本当にかけがえのないものであるならば、それは一回限りの何かしか教えないはずである。

私にとっての父が特別かつ唯一のもので、同種類の断絶がこの世にたくさんあろうと父の死が決定的な仕方で私を途方に暮れさせたように、有意義性について語ることができるような断絶とはそうした決定的なものだったのだろうか。もしそうではないとしたら（そうではないからこそ）、そのように語る人たちは何かの教えや作法を必要とはしないだろうし、これからも必要とすることはないだろう。彼ら・彼女らは自分ではどうしようもない状況のもとで無力さの前に立ち尽くすことなどなく、次にまた自分でコントロールできる（と思い込んでいる）断絶を内包した人間関係を自由に選び、そして有象無象の別れを繰り返し続けるだろう。そのなかで、いろんな世俗的に役に立つことを学んではゆくのかもしれないが（恋愛の方法論や、上手な別れ方など）、決定的な寂しさ・侘しさを得ることのないまま（あるいはそれに目を背けて）そのまま人生を過ごしてゆくとしたら、自分だけしかそれを理解しえない一回限りの「感動」「悲しみ」「もののあはれ」というものが綴られた「自分だけしか味わえない人生」をそこに描けているようには思えない。

この世には、かけがえのない出会いと別れ、そして、かけがえのない学びが確かにある。この世界がありきたりであるのは、出会ったものをありきたりなものとして取り扱うその人が唯一性を見失った生き方をしているからであって、そんな世界は、そうした人たち同士が「どっちがより幸せか」「どっちがいろんな経験をしているか」「誰の生き方が一番憧れるものなのか」と比較しあったり競争することで人生の意義を決めようとするようなアリーナ（競技場）でしかない。自分だけの景色を手に入れたいのであれば、そのアリーナを飛び出して、社会的評価や世間からの評判に惑わされることなく、目の前のかけがえのなさと向き合おうとする一人きりの真摯さのもとで生きるしかない。

おそらく真の自由とは、かけがえのないものと向き合い続けることを自分で決めるまさにその在り方にあるように思われる。損得考えず、限られた時間を目の前のその人と、あるいは目の前のそのこととただ向き合うような素朴で愚直な生き方にだって自由はあるのだ。そうした自由のもと、人は何かを信じ、その信念のもと目の前の物事を大切にしつつ、それを積み重ね、自分の人生を生きてゆく。

逆に、通り過ぎたかけがえのないもの、目の前にある唯一限りのものを過小評価し、「こんなものじゃなく、もっとよいものを……」と求めるその態度は、我欲にとらわれ熱に浮かされた不自由な状態であって、そこには信念も思想もありはしない。そんな人に欠落しているものこそ、まさにその瞬間瞬間に集中するための「行」としての生き方なのである。

こうした説教に対し、「結局は他人の人生なんだから、どうでもいいじゃないか」という意見もあるだろう。たしかにそうである。しかし、私のかけがえのない人生において私自身が実践していることは、限られた時間のなか研究したり経験したことをもとにそれを論じることである。大事だと思っていることを論じられるときに論じ、もしかすると影響を与えるかもしれない人に少しでも感じ取ってもらえるよう、この一回限りのあとがきでも書くべきことを書き伝えようとすることは、私にとっての「行」にほかならない。そして、この「行」は「祈り」でもある。私だけにしかそれに殉じる意義などないこの「行」ではあるが、それが誰かに届き、その誰かの心に光明がさしてその一回限りの生を豊かにできるというのであれば、それは断絶を超えた「奇跡」であり、私の「生」に私だけの色を与えてくれる喜びでもある。

ちくま新書
1544

世界がわかる比較思想史入門

二〇二一年一月一〇日　第一刷発行

著者　中村隆文（なかむら・たかふみ）

発行者　喜入冬子

発行所　株式会社　筑摩書房
東京都台東区蔵前二−五−三　郵便番号一一一−八七五五
電話番号〇三−五六八七−二六〇一（代表）

装幀者　間村俊一

印刷・製本　三松堂印刷　株式会社


ISBN978-4-480-07357-0 C0210

## ちくま新書

301
### アリストテレス入門
山口義久
論理学の基礎を築き、総合的知の枠組をつくりあげた古代ギリシア哲学の巨人。その思考の方法と核心に迫り、知の探究の軌跡をたどるアリストテレス再発見！

533
### マルクス入門
今村仁司
社会主義国家が崩壊し、マルクス主義が後退した今、マルクスを読みなおす意義は何か？　既存のマルクス像からはじめて自由になり、新しい可能性を見出す入門書。

776
### ドゥルーズ入門
檜垣立哉
没後十年以上を経てますます注視されるドゥルーズ。哲学史的な文脈と思想的変遷を踏まえ、その豊かなイマージュと論理を読む。来るべき思想の羅針盤となる一冊。

020
### ウィトゲンシュタイン入門
永井均
天才哲学者が生涯を賭けて問いつづけた「語りえないもの」とは何か。写像・文法・言語ゲームと展開する特異な思想に迫り、哲学することの妙技と魅力を伝える。

081
### バタイユ入門
酒井健
西欧近代への徹底した批判者でありつづけた「死とエロチシズム」の思想家バタイユ。その豊かな情念に貫かれた思想を明快に解き明かす、若い読者のための入門書。

200
### レヴィナス入門
熊野純彦
フッサールとハイデガーに学びながらも、ユダヤの伝統を継承し独自の哲学を展開したレヴィナス。収容所体験から紡ぎだされた強靭で繊細な思考をたどる初の入門書。

589
### デカルト入門
小林道夫
デカルトはなぜ近代哲学の父と呼ばれるのか？　行動人としての生涯と認識論・形而上学から自然学・宇宙論におよぶ壮大な知の体系を、現代の視座から解き明かす。

# ちくま新書

1060
## 哲学入門
戸田山和久

言葉の意味とは何か。私たちは自由意志をもつのか。人生に意味はあるか……こうした哲学の中心問題を科学が明らかにした世界像の中で考え抜く、常識破りの入門書。

832
## わかりやすいはわかりにくい？
——臨床哲学講座
鷲田清一

人はなぜわかりやすい論理に流され、思い通りにゆかず苛立つのか——常識とは異なる角度から哲学的に物事を見る方法をレッスンし、自らの言葉で考える力を養う。

901
## ギリシア哲学入門
岩田靖夫

「いかに生きるべきか」という問題は一個人の幸福から「正義」への問いとなり、共同体＝国家像の検討へつながる。ギリシア哲学を通してこの根源的なテーマに迫る。

907
## 正義論の名著
中山元

古代から現代まで「正義」は思想史上最大のテーマのひとつでありつづけている。プラトンからサンデルに至る主要な思想のエッセンスを網羅し今日の課題に応える。

967
## 功利主義入門
——はじめての倫理学
児玉聡

「よりよい生き方のために常識やルールをきちんと考えなおす」技術としての倫理学において「功利主義」は最有力のツールである。自分で考える人のための入門書。

1119
## 近代政治哲学
——自然・主権・行政
國分功一郎

今日の政治体制は、近代政治哲学が構想したものだ。ならば、その基本概念を検討することで、いまの民主主義体制が抱える欠点も把握できるはず！　渾身の書き下し。

1143
## 観念論の教室
冨田恭彦

私たちに知覚される場合だけ物は存在すると考える「観念論」。人間は何故この考えにとらわれるのか。元祖観念論者バークリを中心に「明るい観念論」の魅力を解く。

1322
**英米哲学入門——「である」と「べき」の交差する世界**
一ノ瀬正樹
夢と現実って本当に区別できるの？　この世界に実は因果関係なんて存在しない？　哲学の根本問題を経験や言語を足場に考え抜く、笑いあり涙あり（？）の入門講義。

1165
**プラグマティズム入門**
伊藤邦武
これからの世界を動かす思想として、いま最も注目されるプラグマティズム。アメリカにおけるその誕生から最新の研究動向まで、全貌を明らかにする入門書決定版。

964
**科学哲学講義**
森田邦久
科学的知識の確実性が問われている今こそ、科学の正しさを支えるものは何かを、根源から問い直さねばならない！　気鋭の若手研究者による科学哲学入門書の決定版。

944
**分析哲学講義**
青山拓央
現代哲学の全領域に浸透した「分析哲学」。言語のはたらきの分析を通じて世界の仕組みを解き明かすその手法は切れ味抜群だ。哲学史上の優れた議論を素材に説く！

569
**無思想の発見**
養老孟司
日本人はなぜ無思想なのか。それはつまり、「ゼロ」のようなものではないか。「無思想の思想」を手がかりに、日本が抱える諸問題を論じ、閉塞した現代に風穴を開ける。

1039
**社会契約論——ホッブズ、ヒューム、ルソー、ロールズ**
重田園江
この社会の起源には何があったのか。ホッブズ、ヒューム、ルソー、ロールズの議論を精密かつ大胆に読みなおし、近代の中心的思想を今に蘇らせる清冽な入門書！

740
**カントの読み方**
中島義道
超有名な哲学者カントは、翻訳以前にそもそも原文も難しい。カントをしつこく研究してきた著者が『純粋理性批判』を例に、初心者でも読み解ける方法を提案する。

990
入門 朱子学と陽明学
小倉紀蔵
儒教を哲学化した朱子学と、それを継承しつつ克服しようとした陽明学。東アジアの思想空間を今も規定するその世界観の真実に迫る、全く新しいタイプの入門概説書。

1079
入門 老荘思想
湯浅邦弘
俗世の常識や価値観から我々を解き放とうとする「老子」と「荘子」の思想。新発見の資料を踏まえてその教えをじっくり読み、謎に包まれた思想をいま解き明かす。

1325
神道・儒教・仏教
——江戸思想史のなかの三教
森和也
江戸の思想を支配していた神道・儒教・仏教にこそ、現代人の思考の原風景がある。これら三教が交錯しつつ形作っていた豊かな思想の世界を丹念に読み解く野心作。

1348
現代語訳 老子
保立道久訳・解説
古代中国の古典「老子」。二千年以上も読み継がれてきたそのテキストを明快な現代語に解きほぐし、老子像を刷新。また、日本の神話と神道の原型を発見する。

877
現代語訳 論語
齋藤孝訳
学び続けることの中に人生がある。——二千五百年間、読み継がれ、多くの人々の「精神の基準」となった古典中の古典を、生き生きとした訳で現代日本人に届ける。

1292
朝鮮思想全史
小倉紀蔵
なぜ朝鮮半島では思想が炎のように燃え上がるのか。古代から現代韓国・北朝鮮まで、さまざまに展開されてきた思想を霊性的視点で俯瞰する。初めての本格的通史。

734
寺社勢力の中世
——無縁・有縁・移民
伊藤正敏
最先端の技術、軍事力、経済力を持ちながら、同時に、国家の論理、有縁の絆を断ち切る中世の「無縁」所。第一次史料を駆使し、中世日本を生々しく再現する。

## ちくま新書

1369
武士の起源を解きあかす
――混血する古代、創発される中世
桃崎有一郎
武士はどこでどうやって誕生したのか。日本を長期間統治した彼らのはじまりは「諸説ある」として不明とされていた。古代と中世をまたぎ、日本史最大級の謎に挑む。

1224
皇族と天皇
浅見雅男
日本の歴史の中でも特異な存在だった明治以降の皇族。彼らはいかなる事件を引き起こし、天皇を悩ませてきたか。近現代の皇族と天皇の歩みを解明する通史決定版。

1330
神道入門
――民俗伝承学から日本文化を読む
新谷尚紀
神道とは何か。古代の神祇祭祀に仏教・陰陽道・道教など多様な霊験信仰を混淆しつつ、国家神道を経て今日の形に至るまで。その中核をなす伝承文化と変遷を解く。

1098
古代インドの思想
――自然・文明・宗教
山下博司
インダス文明の謎とヒンドゥー教の萌芽。アーリヤ人侵入とヴェーダの神々。ウパニシャッドから仏教・ジャイナ教へ……。多様性の国の源流を、古代世界に探る。

1272
入門　ユダヤ思想
合田正人
世界中に散りつつ一つの「民族」の名のもとに存続するユダヤ。居場所とアイデンティティを探求するその英知とは？　起源・異境・言語等、キーワードで核心に迫る。

1048
ユダヤ教　キリスト教　イスラーム
――一神教の連環を解く
菊地章太
一神教が生まれた時、世界は激変した！「平等」「福祉」「不寛容」などを題材に三宗教のつながりを分析し、現代の底流にある一神教を読み解く宗教学の入門書。

1215
カトリック入門
――日本文化からのアプローチ
稲垣良典
日本文化はカトリックを受け入れられるか。日本的霊性と超越的存在の問題から、カトリシズムの本質に迫る。中世哲学の第一人者による待望のキリスト教思想入門。

# ちくま新書

## ちくま新書

1255 縄文とケルト――辺境の比較考古学　松木武彦

新石器時代、大陸の両端にある日本とイギリスは独自の非文明型の社会へと発展していく。二国を比較することでわかるこの国の成り立ちとは？　驚き満載の考古学！

1147 ヨーロッパ覇権史　玉木俊明

オランダ、ポルトガル、イギリスなど近代ヨーロッパ諸国の台頭は、世界を一変させた。本書は、軍事革命、大西洋貿易、アジア進出など、その拡大の歴史を追う。

1287-1 人類5000年史Ⅰ――紀元前の世界　出口治明

人類五〇〇〇年の歩みを通読する、新シリーズの第一巻、ついに刊行！　文字の誕生から知の爆発の時代まで紀元前三〇〇〇年の歴史をダイナミックに見通す。

1287-2 人類5000年史Ⅱ――紀元元年～1000年　出口治明

人類史を一気に見通すシリーズの第二巻。漢とローマ二大帝国の衰退、世界三大宗教の誕生、陸と海のシルクロード時代の幕開け等、激動の1000年が展開される。

1287-3 人類5000年史Ⅲ――1001年～1500年　出口治明

十字軍の遠征、宋とモンゴル帝国の繁栄など人や物の交流が盛んになるが、気候不順、ペスト流行にも見舞われる。ルネサンスも勃興し、人類は激動の時代を迎える。

744 宗教学の名著30　島薗進

哲学、歴史学、文学、社会学、心理学など多領域から宗教理解、理論の諸成果を取り上げ、現代における宗教的なものの意味を問う。深い人間理解へ誘うブックガイド。

655 政治学の名著30　佐々木毅

古代から現代まで、著者がその政治観を形成する上でたえず傍らにあった名著の数々。選ばれた30冊は混迷を深める時代にこそますます重みを持ち、輝きを放つ。